D1488622

Le VIN
guide du débutant

FRÉDÉRIQUE CHEVALIER

ideo

© **IDEO 2010, un département de City Editions**

ISBN : 978-2-35288-463-7
Code Hachette : 50 7903 3

Crédits photos :
Intérieur : Fotolia/Shutterstock/D.R.
Couverture : Studio City/Shutterstock

Rayon : Pratique/Vin
Collection *Guide du débutant*
Collection dirigée par Christian English & Frédéric Thibaud

Catalogue et manuscrits : www.ideo.com

Dépôt légal : deuxième semestre 2010
Imprimé dans la C.E.E.

Sommaire

Mise en bouche.. 7

Un mot d'histoire et de terroir

Un mot d'histoire 11
La géographie des vignobles français 13
Les vins autour du monde 31
Annexes 39

La naissance d'un vin

Les principaux cépages 47
La conduite de la vigne 57
L'élevage 69
L'embouteillage 71
Les labels bio 73

Choisir son style de vins

Choisir un vin 79
Les vins blancs 81

Les vins pétillants et mousseux 85

Les vins doux naturels 89

Les vins rosés.. 91

Les vins rouges 93

Achat mode d'emploi

Silhouettes et bouteilles 99

Le jeu des appellations 103

Étiquettes et capsule-congé : comment les lire .. 107

Acheter un vin, où et pourquoi ? 113

La conservation des vins 121

De l'art de déguster un vin

Les outils de la dégustation................................ 131

Le service 137

La dégustation 141

Lexique des mots pour le dire............................147

Accords majeurs, accords mineurs

Les grands mariages 163

Les mots-clés de l'amateur de vin........................177

[Mise en bouche]

L e vin n'est-il qu'une simple « boisson fermentée préparée à partir du jus de raisin », comme le définit laconiquement le *Petit Larousse* ? Peut-être, mais une boisson fermentée qui susciterait passions, débats et échanges plus ou moins vifs et cela depuis plusieurs siècles.

Une joute oratoire dont il faut connaître les mots, les enjeux, les couleurs. Le vin est affaire de goût, d'amitié, d'apprentissage et de terroirs. Découvrir ces derniers, leurs caractères, leur « typicité » permet d'entrevoir leur essence.

C'est particulièrement vrai des vins français et de ceux du Vieux Continent en général. La richesse des cépages, des sols, des climats, explique leur diversité, si difficile à appréhender et à cerner quand, amateur de « bonnes bouteilles », on se confronte pour la première fois à cet univers. Faut-il apprendre par cœur sa table des grands crus, connaître sur le bout des doigts le classement de 1855 et pouvoir citer sans faillir le nom des parcelles, des climats comme on dit en Bourgogne, qui composent l'appellation gevrey-chambertin, pour être un œnophile digne de ce nom ?

Cela peut être un jeu, pas une fin. Mieux vaut apprendre à reconnaître les vins que l'on aime, et ensuite, en tirant ce fil, pénétrer un monde parfois difficile à saisir tant il est complexe et diversifié. Les amateurs que nous sommes doivent aussi avoir à l'esprit qu'ils sont des consommateurs dont on cherche à s'attirer les faveurs. Le goût se forme au fil des dégustations, des échanges entre connaisseurs plus ou moins avertis. Ce guide offre des points de repère, des fondations, des outils et des clés sur lesquels s'appuyer pour s'aventurer en terre vitivinicole sans se perdre dans le maquis des appellations, des offres en tout genre et des effets de mode.

La curiosité ici n'est pas un vain mot, qui pousse aussi à s'affranchir des frontières de l'Hexagone pour partir à la découverte des vins étrangers, vins des Amériques, d'Australie et de Nouvelle-Zélande, souvent monocépages, riches de leur simplicité et de leur universalité, faciles à s'approprier, trop faciles peut-être pour qui a envie de saisir le vin sous toutes ses facettes.

Un mot d'histoire
et de terroir

[Un mot d'histoire]

Tout commence avec *Vitis vinifera*, ssp. Sylvestris, ou Lambrusque, la vigne sauvage, une liane grimpante qui pousse naturellement de l'Asie du Sud-Ouest à la façade atlantique de l'Europe. Les chasseurs-cueilleurs du paléolithique inférieur (entre 500 000 et 120 000 environ avant J.-C.) en récoltaient déjà les fruits. On en retrouve la trace sur le site de Terra Amata (Alpes-Maritimes) dont l'occupation est attestée vers - 400 000 ans.

C'est à l'archéologie que l'on doit également la découverte d'un des premiers indices témoignant de la fabrication du vin au VIe millénaire avant notre ère. Les jarres mises au jour en Iran, au nord des monts du Zagros, renfermaient encore un dépôt qui s'est révélé contenir de l'acide tartrique, un des composants du vin.

La domestication de la vigne serait intervenue entre le VIe et le Ve millénaire avant J.-C. en Transcaucasie et en Anatolie, puis se serait diffusée du nord au sud du croissant fertile, de la Mésopotamie à la Phénicie, puis à l'Égypte où le vin est réservé à Pharaon et aux hauts dignitaires, et à la Grèce qui le voue au culte de Dionysos.

Les grecs maîtrisent parfaitement l'art de la vinification… et celui du commerce. Les comptoirs qu'ils fondent dans l'ouest du bassin méditerranéen, comme Marseille en 600 avant J.-C., deviennent d'importants centres d'échange.

Les vins d'Italie prennent ainsi le chemin des cités celtes quand moutons et porcs salés sont exportés vers Rome. Le falerne est alors un des plus prestigieux crus de Campanie. Le vin est la plupart du temps coupé d'eau. Très vite, l'expansionnisme de la jeune république romaine, de la Narbonnaise à la Belgique, va avoir raison des peuplades celtes. La culture de la vigne accompagne l'avancée des légions.

Bientôt, toutes les provinces soumises par Rome, du pourtour méditerranéen à l'Adriatique, se couvrent de vignes. À la chute de l'Empire romain, c'est au tour de l'Église et des moines de perpétuer la tradition vitivinicole, le vin étant un élément essentiel de la liturgie. Au Xe siècle, le vignoble d'Aquitaine est en plein essor et l'Angleterre est le principal débouché de ses vins clairets. Les grands vignobles, tels que nous les connaissons aujourd'hui, sont déjà en place. Certains, comme celui de Châteauneuf-du-Pape, tutoient la grande histoire. Ce dernier doit aux papes d'Avignon, et notamment à Jean XXII, une grande partie de sa renommée et son surnom de « vin du pape ». Avec la découverte des Amériques, *Vitis vinifera*, la vigne domestique, conquiert le Nouveau Monde, importée par les moines en mission. Au XVIIIe siècle, le vignoble californien se développe sous l'impulsion des moines franciscains.

Un minuscule insecte, apparenté au puceron, va bousculer le cours des choses. Il est identifié pour la première fois, en 1863, dans le Gard et la Gironde. En trente ans, le phylloxéra, originaire de l'est des États-Unis, décime les vignobles français puis européens.

De nombreuses régions viticoles ne s'en remettront jamais. Seul le greffage des cépages locaux sur des porte-greffes issus de plants américains, naturellement résistants, permet d'éradiquer, sur le Vieux Continent tout du moins, ce fléau. La crise des années 30 et l'augmentation des fraudes vont accélérer la mise en place d'une réglementation sur la délimitation des provenances dont la première pierre sera la naissance, le 30 juillet 1935, des appellations d'origine contrôlées, les AOC.

[La géographie
des vignobles français]

erroir est le maître mot des vins français, très sourcilleux en matière de climat, de sol, d'orientation et d'environnement. L'éventail des vins proposés est unique au monde. Champagne, Alsace, Jura, Bourgogne, Côtes du Rhône, Provence, Corse, Languedoc-Roussillon, Sud-Ouest, Bordelais et vallée de Loire, autant de régions, autant de spécificités.

❖ L'Alsace

L'Alsace compte trois AOC-AOP, alsace, alsace grand cru et crémant d'alsace. C'est le cépage, mentionné sur l'étiquette, qui distingue les différentes AOC-AOP alsace. Huit sont utilisés. Les appellations alsace issues de l'assemblage de plusieurs cépages portent le nom d'edelzwicker ou de gentil. L'AOC alsace représente 74 % de la production régionale, à 92 % en blanc.

L'appellation alsace grand cru consacre l'influence des terroirs sur les vins. Ils sont cinquante et un lieux-dits à en bénéficier, d'Altenberg de Bergbieten à Zotzenberg. Leur nom est obligatoirement mentionné sur l'étiquette avec le millésime et parfois le cépage (riesling, gewurztraminer, pinot gris et muscat).

La mention « vendanges tardives » qualifie un vin provenant des cépages gewurztraminer, pinot gris, riesling ou muscat, récoltés en surmaturité. Ils sont riches en sucres résiduels et d'un bouquet incomparable.

Les vignobles français

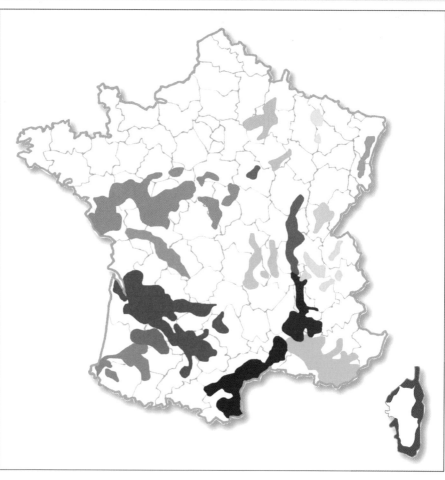

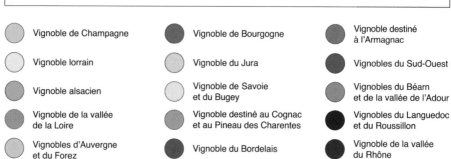

Vignoble de Champagne	Vignoble de Bourgogne	Vignoble destiné à l'Armagnac
Vignoble lorrain	Vignoble du Jura	Vignobles du Sud-Ouest
Vignoble alsacien	Vignoble de Savoie et du Bugey	Vignobles du Béarn et de la vallée de l'Adour
Vignoble de la vallée de la Loire	Vignoble destiné au Cognac et au Pineau des Charentes	Vignobles du Languedoc et du Roussillon
Vignobles d'Auvergne et du Forez	Vignoble du Bordelais	Vignoble de la vallée du Rhône
	Vignoble de Provence	Vignoble de Corse

La mention « sélections de grains nobles » désigne un vin issu de la sélection des grains atteints de pourriture noble (*botrytis cinerea*).

L'AOC-AOP crémant d'alsace, vin mousseux élaboré selon la méthode traditionnelle, essentiellement à partir du pinot blanc, mais aussi du pinot gris, du pinot noir, du riesling ou du chardonnay, représente 24 % de la production alsacienne.

🍇 pinot noir

🍇 sylvaner, pinot blanc, riesling, muscats à petits grains et muscat ottonel, pinot gris, gewurztraminer, savagnin-rosé (klevener de Heilligenstein), chasselas, chardonnay.

❖ Le Beaujolais

Le gamay est le seigneur du Beaujolais et de ses appellations, beaujolais, beaujolais supérieur, beaujolais-villages et ses dix crus AOC-AOP, saint-amour, juliénas, moulin-à-vent, chiroubles, morgon, régnié, brouilly, côte-de-brouilly et fleurie. La diversité des terroirs fait qu'aucun de ces vins ne se ressemble, si ce n'est par leur légèreté et la richesse de leurs arômes. À tout seigneur, tout honneur, le Beaujolais est le temple des vins primeurs. La production de vins blancs reste confidentielle (25 000 hectolitres en 2008).

🍇 gamay noir à jus blanc

🍇 chardonnay

❖ Le Bordelais

Le meilleur et le pire se côtoient ici. En 2008, le Bordelais a produit près de 4,9 millions d'hectolitres, plus de 10 % de la production française. Un quart des vignobles français en AOC-AOP se trouve en Gironde. Les vins rouges sont prédominants avec une production en 2008 de près de 4,4 millions d'hectolitres, répartis entre une soixantaine d'appellations. Les chiffres donnent le vertige, notamment quand on est à la recherche d'un « petit » bordeaux rouge sans prétention. Coincés entre l'Atlantique et la Gironde, Médoc et Haut-Médoc abritent les appellations stars du Bordelais, châteaux classés et crus bourgeois, des margaux fins et racés aux pauillacs aromatiques et corsés, en passant par les saint-julien au savoureux bouquet et les saint-estèphe épicés et tout en puissance. Moins connus, les listracs et autres moulis sont souvent d'un bon rapport qualité/prix. Gare aux tanins quand les vins sont jeunes. Les graves se confondent désormais avec l'appellation pessac-léognan. Les vins sont subtils, aux arômes d'épices et de fruits mûrs. Le Libournais, grand oublié du classement de 1855, est réputé pour ses vins rouges. Saint-Émilion produit des vins de garde séduisants, mais parfois aussi très charpentés. En fonction de leur terroir d'origine, ils oscillent entre souplesse, élégance et tempérament. L'appellation pomerol propose des vins élégants et équilibrés, aux arômes de cacao, violette, réglisse et amande grillée. Le très distingué et inabordable petrus est l'un d'eux.

Les fronsacs, canon-fronsac et côtes-de-castillon sont en net progrès et plus abordables que les médocs. Du côté des blancs, on peut se laisser séduire par les graves, secs et nerveux, mais assez inégaux. Idem pour l'appellation entre-deux-mers, en plein renouveau.

S'ils ne sont pas écrasés par le sucre, les sauternes, barsacs et un ton en dessous cérons, sont des vins de pur plaisir.

🍇 merlot, cabernet franc, cabernet sauvignon, petit-verdot

🍇 sémillon, sauvignon, muscadelle

Le classement de 1855 des vins de Bordeaux

En 1855, à l'occasion de l'Exposition universelle de Paris, l'empereur Napoléon III demande à chaque région viticole de classer les vins présentés. Le syndicat des courtiers publie, le 18 avril 1855, le classement des vins de la Gironde. Les négociants de l'industrie vinicole ont établi leur classement en fonction de la réputation des châteaux et du prix de leur production, représentatifs alors de leur qualité. L'historique des cotations leur sert de base de données.

La prépondérance commerciale des vins du Médoc et des Graves explique que seuls des vins de la rive gauche de la Garonne aient été représentés lors de l'Exposition universelle. Les vins furent classés par importance du premier au cinquième cru. Tous les rouges viennent du Médoc, excepté Château Haut-Brion, un graves.

Les blancs, alors marginaux, furent limités à la variété liquoreuse des sauternes et barsacs et classés sur deux niveaux, exception faite de Château Yquem, premier cru supérieur.

Ce classement a fait l'objet de deux révisions. En septembre 1855, Château Cantemerle est ajouté à la liste des cinquièmes crus. En 1973, Château Mouton-Rothschild est promu dans la catégorie premier cru. Le classement compte désormais quatre-vingt-huit châteaux, soixante et un rouges et vingt-sept blancs. (Voir annexe).

❖ La Bourgogne

Des expressions très différentes selon les crus, quatre départements producteurs, une structure géologique complexe associée à un climat semi-continental... j'ai nommé la grande Bourgogne, plus de 1,5 million d'hectolitres produits en 2008, dont près de 67 % en vin blanc.

Chablis vif et franc, meursault plus moelleux, puligny-montrachet et autres chassagne-montrachet, montrachet, chevalier-montrachet et bâtard-montrachet, l'élite, aux côtés des crus de la côte chalonnaise, mercurey, rully, montagny et bourgogne-aligot-bouzeron, plus abordables, sans oublier les vins du Mâconnais, mâcon, pouilly-fouissé et ses satellites, vifs, au bouquet de noisette et d'amande grillée, saint-véran aux arômes d'acacia et de pierre à fusil. La Côte de Nuits et dans une moindre mesure la Côte de Beaune abritent les seigneurs de la Bourgogne, des vins rouges de longue garde, puissants à l'occasion, généralement peu tanniques, et souvent très chers.

Romanée-conti en est la star incontestée. Les appellations ladoix, aloxe-corton et pernand-vergelesses se caractérisent par des vins d'une grande finesse et d'un bon rapport qualité/prix.

🍇 pinot noir, gamay

🍇 chardonnay

Le classement
des vins de Bourgogne

Au sommet de la pyramide, il existe 33 appellations grands crus, désignées par le seul nom du cru : clos-vougeot, corton, chambertin, etc. Le niveau inférieur renvoie à 562 appellations premiers crus. Les étiquettes portent le nom de la commune de production, la mention premier cru et le nom du climat, de la terre dont le vin est issu. L'étage en dessous compte 42 appellations communales ou villages. Les vins sont élaborés à partir des raisins récoltés sur le territoire de la commune. Certains villages de Côte-d'Or ont obtenu le droit d'accoler à leur nom celui de leur cru le plus prestigieux : Gevrey-Chambertin, Vosne-Romanée, Aloxe-Corton...

La base de la pyramide est constituée des vins génériques. Leur étiquette porte la mention « Bourgogne ». Elle peut être complétée par le nom du cépage, bourgogne-aligoté, la zone de production, bourgogne-mâcon, bourgogne-côtes-chalonnaises, etc, le type de production, crémant de bourgogne. On compte 21 appellations régionales.

❖ La Champagne

La Champagne a donné son nom au breuvage du même nom. Près de 3 millions d'hectolitres ont été produits en 2008, répartis entre quatre appellations : champagne blanc, champagne grand cru, champagne premier cru et champagne rosé. Cette classification est établie à partir du classement des communes de production. Dix-sept d'entre elles, toutes dans la Marne, sont classées 100 %, c'est-à-dire qu'elles vendent leur raisin au prix maximum fixé d'une année à l'autre par les négociants et les vignerons. Elles bénéficient de l'appellation grand cru.

La mention « premier cru » concerne des communes classées entre 90 et 99 % du prix.

Le champagne est majoritairement commercialisé en brut, sans indication d'année. Si un champagne est millésimé, le vin doit provenir uniquement de l'année indiquée.

Cette mention est réservée aux meilleures années.

🍇 pinot noir, pinot meunier

🍇 chardonnay

❖ La Corse

Le vignoble corse compte quatre AOC-AOP, patrimonio, ajaccio, vin de Corse et muscat du Cap Corse. Les vins rouges et rosés de l'ajaccio sont caractérisés par leurs notes minérales et épicées. Au pied du cap Corse s'étend le vignoble de Patrimonio, caractérisé par sa production de vins rouges charpentés de moyenne garde, aux arômes de gibier et de violette et des vins blancs délicats, ronds et fruités, à la robe or pâle. L'appellation vin-de-corse peut être complétée par le nom d'une des cinq zones de production, figari, sartène, porto-vecchio, calvi et coteaux-du-cap-corse. Les rosés de Calvi, dits gris-de-calvi, se boivent jeunes et accompagnent formidablement le poisson. Le muscat du Cap Corse, un vin doux naturel, est très aromatique, aux nez de miel et de fruits confits.

🍇 nielluciu, sciaccarellu, grenache

🍇 vermentinu

❖ Le Jura

Arbois, château-chalon, l'étoile, côtes-du-jura, autant d'appellations marquées par leur terroir et la typicité de leur cépage. Le vin jaune (appellation château-chalon) est emblématique. Ce vin à la robe jaune d'or, aux arômes de noix, riche, puissant, élevé pendant plus de six ans en fût de chêne, est un vin de très longue garde.

À Arbois, les vins rouges, rafraîchissants, légers et fruités, dominent. Côtes-du-jura est la deuxième AOC jurassienne en volume.

Ses vins blancs ronds et fruités, parfois très typés, aux notes de noisette, d'amande grillée et de pierre à fusil, expriment le terroir.

🍇 pinot noir, poulsard, trousseau

🍇 savagnin, chardonnay

❖ Le Languedoc-Roussillon

Le Languedoc-Roussillon en chiffres : en 2008, il a produit 14 millions d'hectolitres de vin, soit 34 % de la production française. La région comptait 186 210 hectares de vignes. En un peu moins de vingt ans, la production annuelle et les surfaces viticoles ont diminué de moitié. Les vins rouges représentent plus de 80 % de la production.

Pas moins de trente appellations sont dispersées sur le territoire. Les vins rouges se distinguent généralement par leur puissance comme les faugères, saint-chinian, minervois, corbières, fitous, la plus ancienne appellation de la région mais de qualité assez inégale, et les collioures. Le Languedoc-Roussillon compte également huit vins doux naturels, muscat de Frontignan, saint-jean-de-minervois, lunel, mireval, mais aussi banyuls, banyuls grand cru, maury, rivesaltes.

C'est aussi la terre de la blanquette de Limoux, élaborée selon la méthode traditionnelle. L'appellation piquepoul-de-pinet, un vin blanc sec, est une exception, AOC monocépage, dans un paysage vinicole dominé par les assemblages.

🍇 grenache, mourvèdre, syrah, cinsault, carignan

🍇 grenache blanc, clairette, bourboulenc, viognier, picpoul, marsanne, roussanne, vermentino, ugni, muscat petits grains

❖ La Provence

Vins rosés et vins rouges dominent la production provençale. Les vins blancs restent marginaux (moins de 5 % du total), excepté dans certaines AOC-AOP comme cassis. L'appellation côtes-de-provence représente près de 80 % du vignoble. Elle recouvre le territoire de quatre-vingt-quatre communes du Var, des Bouches-du-Rhône et des Alpes-Maritimes (Villars-sur-Var). Les rosés, majoritaires, reflètent la diversité des terroirs. La qualité des vins s'est considérablement améliorée mais elle reste inégale. Provence rime aussi avec coteaux-d'aix, palette, coteaux-du-varois, baux-de-provence, bandol, cassis et bellet. Bellet qui, du haut de ses 48 hectares, est la plus petite appellation de la région. Palette produit des vins rouges typiques, au bouquet complexe, élevés au moins dix-huit mois sous bois. Bandol est en plein renouveau. Les arômes de fruits rouges caractérisent ses vins rouges, puissants et corsés, de grande garde, qui acquièrent après élevage (dix-huit mois) des arômes de truffe et de sous-bois.

🍇 grenache, mourvèdre, cinsault, carignan, syrah, tibouren, ugni, sémillon, cournoise, manosquin, durif, castet, braquet, folle, cabernet-sauvignon

🍇 bourboulenc, clairette, grenache blanc, ugni blanc, marsanne, doucillon, pascal blanc, vermentino, sauvignon, colombard

❖ La Savoie

Les vins blancs représentent 60 % de la production savoyarde, la majorité en AOC. Il existe deux appellations génériques. La première est vin-de-savoie ou savoie à laquelle peut être accolée le nom de la zone de production. Elles sont au nombre de quinze. En Haute-Savoie, les principaux terroirs sont la vallée de l'Arve avec le cru ayze, sur la rive sud du lac Léman, les crus de Marin, Ripaille et Crépy. En Savoie, on trouve le cru de Chautagne, et à la cluse de Chambéry, au pied du mont Granier, les appellations phares d'apremont et des abymes, issues du jacquère, aux vins frais et légers. La seconde appellation générique, roussette-de-savoie, est élaborée à partir du seul cépage altesse et peut être suivie de quatre dénominations. En vallée des Usses et sur les bords du Rhône, on trouve notamment frangy et sur les contreforts de la montagne du Chat, marestel, idéale avec le beaufort.

mondeuse, pinot

altesse, mondeuse blanche, chasselas, chardonnay, jacquère

❖ Le Sud-Ouest

Le Sud-Ouest compte une vingtaine d'appellations mais sa production reste, en comparaison, relativement modeste avec moins d'un million d'hectolitres. Le vignoble de Guyenne est sous influence directe du Bordelais tant par les sols que par les cépages. Les appellations bergerac, côtes-de-bergerac, pécharment, montravel, rosette, monbazillac, saussignac, côtes-de-duras et côtes-du-marmandais en forment le corps. Certains vignobles sont totalement confidentiels comme celui de Rosette, 21 hectares, qui produit un trop rare vin blanc en demi-sec et moelleux, aux notes fumées et fleuries. Les bergeracs rouges sont des vins séduisants, souples, aux arômes de fruits rouges. Les côtes-de-bergerac sont plus puissants, tanniques.

À rapprocher d'un pécharmant, délicieux avec une salade de gésiers confits. Salade qui appréciera la compagnie d'un autre vin du Sud-Ouest, le cahors, un vin tannique à la robe sombre, mais de qualité inégale. Un fronton, plus au sud, à cheval sur les départements de la Haute-Garonne et du Tarn-et-Garonne, issu du cépage négrette qui lui confère ses arômes de violette, de fruits et de réglisse, sera parfait. Ou bien, si l'on va vers le Béarn, un puissant madiran. Il est au vin rouge ce que le pacherenc-du-vic-bilh est au blanc.

Le vignoble basque se confond, lui, avec l'irouléguy, vin vif et nerveux en blanc et rosé, tannique en rouge, aux arômes de fruit mûr.

🍇 cabernet franc, cabernet sauvignon, merlot, négrette, fer servadou, mansois, tannat, malbec (cot, auxerrois)

🍇 petit et gros manseng, baroque, sémillon, sauvignon blanc, muscadelle, ondenc, petit courbu, arrufiac

❖ La Vallée de Loire

La vallée de la Loire est constituée de quatre grands ensembles vitivinicoles hétéroclites qui s'étirent d'est en ouest, du Centre-Loire au Pays nantais, en passant par la Touraine, le Saumurois et l'Anjou.

Elle est le quatrième vignoble français en superficie et en volume, avec plus de 2,6 millions d'hectolitres produits en 2008, toutes catégories de vin confondues, et compte quelque soixante-neuf appellations. En blanc, le cépage sauvignon domine les appellations pouilly-fumé, menetou-salon, sancerre, reuilly, quincy, etc.

Ensuite, tout est affaire de terroir qui donne à chacun son caractère. Minéralité, fraîcheur pour le pouilly-fumé, fruité pour le reuilly et le menetou-salon.

La Touraine, aux multiples AOC, produit aussi bien des vins rouges légers (touraine-gamay) que charpentés (chinon), marqués par les arômes de fruits rouges (saint-nicolas-de-bourgueil), typiques du cabernet franc.

L'Anjou et le Saumurois produisent également des vins rouges légers et fruités, comme les anjou-gamay, anjou-villages et saumur-champigny. Le cépage chenin, caractéristique du Val de Loire, de certains vins de Touraine (jasnières et coteaux-du-loir) et de l'Anjou, peut être aussi bien vinifié en blanc sec qu'en mousseux, demi-sec ou moelleux. C'est vrai pour le vouvray, le montlouis, les coteaux-du-layon ou de l'aubance, le bonnezeaux et le quarts-de-chaume.

Le savennières, un vin très sec, aux arômes de miel et de fruits secs, prend toute son expression avec les années. Le chenin a besoin de soleil pour développer ses arômes de pomme, poire, abricot ou noix. Les millésimes peuvent donc être assez inégaux.

L'autre grand cépage blanc du Val de Loire est le muscadet, réservé aux quatre appellations muscadet du pays nantais, des vins légers et rafraîchissants, parfois perlants, compagnons idéaux des fruits de mer. On trouve dans un registre proche, mais avec plus d'acidité, le gros-plant, parfait avec les huitres.

🍇 cabernet-sauvignon, gamay, malbec, cabernet franc, pineau d'aunis

🍇 chenin, muscadet, folle blanche, chardonnay, sauvignon, chasselas

❖ La Vallée du Rhône

La vallée du Rhône a plusieurs visages : deuxième producteur de vin français avec 6,4 millions d'hectolitres en 2008, AOC-AOP (2,5 M) et IGP (2,7 M) faisant presque jeu égal, les vins rouges et rosés représentant 89 % du volume. Son vignoble, né avec la conquête romaine, s'étire de Vienne à Avignon, en rive droite et gauche du Rhône.

La diversité des sols et des climats, et avec eux, celle des vins, caractérise cette région. Sur les sols granitiques des Côtes du Rhône septentrionales naissent huit appellations prestigieuses, principalement élaborées à partir de la syrah et du viognier.

Elles ont pour nom côte-rôtie (à 80 % mimimum en syrah, le reste en viognier, un assemblage exceptionnel), crozes-hermitage, l'hermitage, saint-joseph, cornas (syrah) et en blanc, saint-péray (marsanne et/ou roussanne), condrieu et château-grillet (viognier). Fruits noirs, épices et violette caractérisent le nez des vins élaborés à partir de la syrah, amandes, acacia, abricot et violette, celui des vins issus du viognier.

À noter, dans un tout autre genre, l'existence de la clairette et du crémant de Die, délicieux avec un croquet aux amandes ou une salade de fruits exotiques. Des sols très variés, argile, sable et cailloux roulés à Tavel, cailloutis calcaire à Gigondas, et galets roulés à Châteauneuf-du-Pape, un ensoleillement exceptionnel, un vent violent, le mistral, distinguent les Côtes du Rhône méridionales et ses sept grandes appellations. Mourvèdre, syrah et grenache dominent l'appellation gigondas de leurs arômes d'épices et de réglisse, à l'instar du vacqueyras. Tavel et lirac mènent la danse des vins rosés. Le châteauneuf-du-pape est issu de treize cépages différents.

Sa production de vins blancs, très aromatiques, reste confidentielle et recherchée. Moins connues et plus aléatoires sont les appellations costières-de-nimes, côtes-du-ventoux, côtes-du-lubéron, grignan-les-adhémar (ex-coteaux-du-tricastin) et côtes-du-vivarais.

Les Côtes du Rhône produisent également deux vins doux naturels : le muscat de Beaumes-de-Venise aux arômes de pêche, d'agrumes et de menthe poivrée et le rasteau, robe rubis, grenat ou cognac, 90 % grenache, aux notes de fruits cuits, de raisins secs et de pruneaux.

🍇 syrah, mourvèdre, cinsault, grenache, carignan, terret.

🍇 viognier, marsanne, roussanne, muscat, clairette, bourboulenc.

[Les vins autour du monde]

❖ Les dix premiers producteurs mondiaux
de vin en 2008 (en hectolitres)

Les dix premiers producteurs mondiaux de vin en 2008 (en hectolitres)

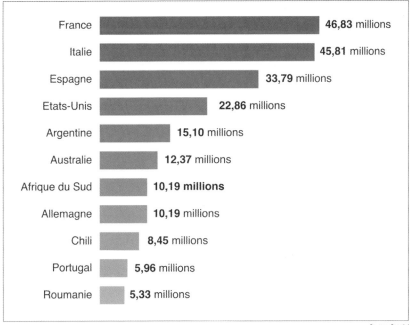

France	**46,83** millions
Italie	**45,81** millions
Espagne	**33,79** millions
Etats-Unis	**22,86** millions
Argentine	**15,10** millions
Australie	**12,37** millions
Afrique du Sud	**10,19 millions**
Allemagne	**10,19** millions
Chili	**8,45** millions
Portugal	**5,96** millions
Roumanie	**5,33** millions

Sources : Fao stat

❖ Les vins d'Italie

Les vins italiens se partagent entre DOCG (*Denominazione di Origine Controllata e Garantita*) dispersés entre vingt-deux régions de production, DOP (*Denominazione di Origine Protetta*) qui a succédé le 1er août 2009 à la DOC (*Denominazione di Origine Controllata*), et l'IGP (*Indicazione Geografica Protetta*) qui remplace l'IGT (*Indicazione Geografiche Tipiche*). Ces vins représenteraient moins de 20 % de la production de vins italienne. La présence de ces mentions n'est malheureusement pas une garantie de qualité.

Dans l'ensemble, l'Italie produit des vins rouges puissants et de garde. Ils s'accordent parfaitement avec des mets goûteux comme l'*osso-buco* ou le *saltimbocca*. Le chianti est la plus connue des DOP, mais sa qualité est assez inégale. Le Piémont produit les meilleurs vins rouges, barbaresco ou barolo, un vin tannique aux arômes de cacao et d'épices.

En dehors des « super-Toscans », souvent classés en vino de tabla (vin de table) ou IGP, mais délicieux, le brunello-di-montalcino DOP est le vin phare de la Toscane, un vin aux arômes puissants et complexes.

Au sud, la région des Pouilles produit des vins charpentés avec l'appellation salice-salentino, dont les rosés sont particulièrement appréciés. L'Italie propose des vins blancs légers, très secs, peu aromatiques et désaltérants. Le plus connu est un vin vénitien, le soave. Le frascati, vin vif et fruité, à consommer jeune, fait la réputation du Latium et l'albana-di-romagna, celle de l'Émilie-Romagne.

À noter également, deux vins de Campanie, le greco-di-tufo, au nez citronné et le fiano-di-avellino, sec et léger. L'exception pourrait être le vin santo, un vin de Toscane passerillé, élaboré en sec ou moelleux. Le marsala est le plus connu des vins doux naturels italiens, mais sa qualité est assez disparate.

Le moscato-di-pantelleria, un muscat sicilien, est produit à partir du cépage muscat-d'alexandrie. Parmi les vins mousseux (spumante), la DOC asti et lambrusco sont aussi les plus connues.

nebbiolo, barbera, sangiovese, canaiolo, verdeca, bombino nero, nerello mascalese, aglianico, negro amaro

trebbiano, moscato, malvasia, greco, aglianico, albana.

❖ Les vins d'Espagne

Le xérès (Jerez) ou sherry anglais est un des vins les plus connus au monde. Il s'agit d'un vin blanc sec muté, élaboré à partir d'un vin blanc de cépage palomino, auquel on ajoute de l'eau-de-vie de vin à 15,58 pour les finos, et à 188 pour les *olorosos*. C'est une des quatre-vingt-une « *denominación de origen protegida* » (DOP) espagnoles, l'équivalent de notre AOC-AOP. En 1991, les vins de La Rioja ont accédé à la DOC, *denominación de origen calificada*. Le vignoble espagnol s'étend sur 1,140 million d'hectares. C'est le plus vaste au monde, mais le troisième seulement en termes de production. Les deux tiers des vins sont des vins de table (vino de mesa) et des vins de pays (*vino de la tierra*/IGP). L'Espagne produit aussi d'excellents blancs secs à boire jeunes et des rouges de la Rioja de longue garde. Les rosés de Navarre ne sont pas en reste aux côtés des *cavas* de Catalogne et des rouges légers de Valde-peñas (Castille-La-Mancha) en passant par les vins de Ribera del Duero (Castille-et-León) et les jerez-xeres finos et *olorosos* (Andalousie).

🍇 bobal, graciano, grenache noir, monastrell (mourvèdre), listan negro, manto negro, negramoll, sumoll negro, tempranillo

🍇 airén, albarino, moll, macabeo, parellada, verdejo, viura, xarel-lo

La pyramide des âges espagnole

O n distingue quatre degrés de vieillissement pour les rouges. Les vins embouteillés au bout de quelques mois reçoivent uniquement la mention *Garantia de origen*. Un *vino sin crianza* est un vin jeune, à boire dans l'année.

Au contraire, un *vino con crianza* désigne un vin élevé six mois en fût (douze pour certaines appellations) et d'au moins deux ans d'âge pour les rouges.

Le terme *vino de reserva* s'applique à un vin sélectionné ayant été élevé douze mois au moins en fût et âgé d'au moins trois ans. Le *gran reserva* est réservé aux grands millésimes. Le vin est élevé deux ans minimum en fût puis trois en bouteille.

La classification est la même pour les rosés et les blancs. Pour être *de crianza*, ils doivent avoir été élevés six mois en fût. La mention *Reserva* concerne des vins de deux ans d'âge avec six mois d'élevage au minimum.

Gran Reserva désigne un vin ayant deux ans d'élevage en fût et deux années de vieillissement en bouteille.

❖ Les vins du Nouveau Monde

Les grands cépages européens, chardonnay, sauvignon, cabernet-sauvignon, merlot, pinot noir et syrah, ont investi les vignobles du Nouveau Monde, de l'hémisphère Sud à l'Amérique du Nord. Les vins produits sont bien souvent élaborés à partir d'un seul cépage. Ils sont plus accessibles et plus aisément reconnaissables que les vins tradition-nels. Les États-Unis sont le quatrième producteur mondial. Le vignoble américain est avant tout californien.

Le zinfandel est un de ses rares cépages « typiques ». La tendance semble néanmoins s'inverser, les meilleurs producteurs cherchant désormais à obtenir des vins reflétant leur terroir. Le malbec ou cot est le cépage emblématique de l'Argentine, cinquième producteur mondial.

À l'image des vins du Nouveau Monde, ses vins sont le plus souvent commercialisés en monocépages même si les assemblages deviennent plus fréquents. En blanc, les cépages torrontés, chardonnay, sauvignon et chenin blanc sont les plus courants. La qualité des vins est assez inégale.

L'Australie compte aujourd'hui une soixantaine de régions viticoles et cent trois « *Defined Geographic Indications* ». Ses vins se caractéri-sent par une grande concentration de saveurs et un degré élevé d'alcool. Le shiraz, notre syrah, en est le cépage emblématique.

La région d'Adélaïde compte plus de 60 % des vignobles du pays. La Barossa valley produit ainsi des vins de haut niveau, shiraz monocé-page ou en assemblage avec le cabernet-sauvignon, le grenache et le mourvèdre. Le riesling, le sémillon et le chenin blanc font aussi partie des cépages de référence.

La Nouvelle-Zélande produit d'excellents sauvignons blancs dans la région de Marlborough. Mais c'est le chardonnay qui domine ici, repré-sentant 25 % de la superficie totale du vignoble. Le riesling est égale-ment très présent. Ses vins rouges sont aussi très agréables, parfois puissants, souvent très fruités.

La qualité des vins sud-africains est très inégale. L'Afrique du Sud produit essentiellement des vins blancs. On peut aussi tester les vins rouges à base de pinotage, un cépage local issu du croisement entre le pinot noir et le cinsault. On ne le trouve nulle part ailleurs.

[Annexes]

❖ Le classement de 1855 des vins de Bordeaux

• **5 premiers crus :**

Château Lafite-Rothschild, *Pauillac*
Château Latour, *Pauillac*
Château Margaux, *Margaux*
Château Mouton-Rothschild, *Pauillac*
(Second cru en 1855, promu en premier cru en 1973)
Château Haut-Brion, *Pessac-Léognan, Graves*
(Pessac jusqu'en 1986).

• **14 deuxièmes crus :**

Château Brane-Cantenac, *Margaux*
Château Cos-d'Estournel, *St-Estèphe*
Château Ducru-Beaucaillou, *St-Julien*
Château Durfort-Vivens, *Margaux*
Château Gruaud-Larose, *St-Julien*
Château Lascombes, *Margaux*
Château Léoville-Barton, *St-Julien*
Château Léoville-Las-Cases, *St-Julien*
Château Léoville-Poyferré, *St-Julien*
Château Montrose, *St-Estèphe*
Château Pichon-Longueville, *Pauillac*
Château Pichon-Longueville-Comtesse-de-Lalande, *Pauillac*

Château Rauzan-Gassies, *Margaux*
Château Rauzan-Ségla, *Margaux*
(anciennement Château Rausan-Ségla)

• 14 troisièmes crus :

Château Boyd-Cantenac, *Margaux*
Château Calon-Ségur, *St-Estèphe*
Château Cantenac-Brown, *Margaux*
Château Desmirail, *Margaux*
Château Ferrière, *Margaux*
Château Giscours, *Margaux*
Château d'Issan, *Margaux*
Château Kirwan, *Margaux*
Château Lagrange, *St-Julien*
Château La Lagune, *Haut-Médoc*
Château Langoa-Barton, *St-Julien*
Château Malescot-Saint-Exupéry, *Margaux*
Château Marquis d'Alesme-Becker, *Margaux*
Château Palmer, *Margaux*

• 10 quatrièmes crus :

Château Beychevelle, *St-Julien*
Château Branaire-Ducru, *St-Julien*
Château Duhart-Milon, *Pauillac*
Château Lafon-Rochet, *St-Estèphe*
Château La Tour-Carnet, *Haut-Médoc*
Château Marquis-de-Terme, *Margaux*
Château Pouget, *Margaux*
Château Prieuré-Lichine, *Margaux*
Château Saint-Pierre, *St-Julien*
Château Talbot, *St-Julien*

• 18 cinquièmes crus :

Château d'Armailhac, *Pauillac*
(anciennement Château Mouton-Baronne-Philippe)
Château Batailley, *Pauillac*

Château Belgrave, *Haut-Médoc*
Château de Camensac, *Haut-Médoc*
Château Cantemerle, entré dans
le classement en 1856, *Haut-Médoc*
Château Clerc-Milon, *Pauillac*
Château Cos-Labory, *St-Estèphe*
Château Croizet-Bages, *Pauillac*
Château Dauzac, *Margaux*
Château Grand-Puy-Ducasse, *Pauillac*
Château Grand-Puy-Lacoste, *Pauillac*
Château Haut-Bages-Libéral, *Pauillac*
Château Haut-Batailley, *Pauillac*
Château Lynch-Bages, *Pauillac*
Château Lynch-Moussas, *Pauillac*
Château Pédesclaux, *Pauillac*
Château Pontet-Canet, *Pauillac*
Château du Tertre, *Margaux*

❖ Le classement de 1855 des vins de Sauternes et de Barsac

• I premier cru supérieur :

Château Yquem, *Sauternes*

• II premiers crus :

Château Climens, *Barsac*
Château Clos-Haut-Peyraguey, *Sauternes*
Château Coutet, *Barsac*
Château Guiraud, *Sauternes*
Château Lafaurie-Peyraguey, *Sauternes*
Château Rabaud-Promis, *Sauternes*
Château de Rayne-Vigneau, *Sauternes*
Château Rieussec, *Sauternes*
Château Sigalas-Rabaud, *Sauternes*
Château Suduiraut, *Sauternes*
Château La Tour-Blanche, *Sauternes*

• 15 deuxièmes crus :

Château d'Arche, *Sauternes*
Château Broustet, *Barsac*
Château Caillou, *Barsac*
Château Doisy-Daëne, *Barsac*
Château Doisy-Dubroca, *Barsac*
Château Doisy-Védrines, *Barsac*
Château Filhot, *Sauternes*
Château Lamothe, *Sauternes*
Château Lamothe-Guignard, *Sauternes*
Château de Malle, *Sauternes*
Château Myrat, *Barsac*
Château Nairac, *Barsac*
Château Romer, *Sauternes*
Château Romer-du-Hayot, *Sauternes*
Château Suau, *Barsac*

❖ Le classement officiel des vins de Saint-Émilion (Classement de 1955 révisé en 1996, le classement 2006 ayant été annulé)

• 2 premiers grands crus classés A

Château Ausone
Château Cheval-Blanc

• 11 premiers grands crus classés B

Château Angélus
Château Beau-Séjour-Bécot
Château Beauséjour (Duffau-Lagarosse)
Château Belair
Château Canon
Château Figeac
Château La Gaffelière

Château Magdelaine
Château Pavie
Château Trottevieille
Clos Fourtet

• 55 grands crus classés

Château Balestard-La-Tonnelle
Château Bellevue
Château Bergat
Château Berliquet
Château Cadet-Bon
Château Cadet-Piola
Château Canon-La-Gaffelière
Château Cap-de-Mourlin
Château Chauvin
Château Clos-des-Jacobins
Château Corbin
Château Corbin-Michotte
Château Curé-Bon
Château Dassault
Château Faurie-de-Souchard
Château Fonplégade
Château Fonroque
Château Franc-Mayne
Château Guadet-Saint-Julien
Château Grand-Mayne
Château Grand-Pontet
Château Haut-Corbin
Château Haut Sarpe
Château L´Arrosée
Château La Clotte
Château La Clusière
Château La Couspaude
Château La Dominique
Château La Marzelle

Château La Serre
Château La Tour-Figeac
Château La Tour-du-Pin-Figeac
Château Laniote
Château Larcis-Ducasse
Château Larmande
Château Laroque
Château Laroze
Château Le Prieuré
Château Les Grandes-Murailles
Château Matras
Château Moulin-du-Cadet
Château Pavie-Decesse
Château Pavie-Macquin
Château Petit-Faurie-de-Soutard
Château Ripeau
Château Saint-Georges-Côte-Pavie
Château Soutard
Château Tertre-Daugay
Château Troplong-Mondot
Château Villemaurine
Château Yon-Figeac
Clos de l'Oratoire
Clos Saint-Martin
Couvent des Jacobins

Pour information, les vins promus en 2006 étaient Château Pavie-Macquin, Château Troplong-Mondot, Château Bellefont-Belcier, Château Destieux, Château Fleur-Cardinale, Château Grand-Corbin, Château Grand-Corbin-Despagne et Château Monbousquet.

Les vins déclassés en saint-émilion grand cru étaient Bellevue, Cadet-Bon, Curé-Bon, Faurie-de-Souchard, Gadet-Saint-Julien, La Clusière, La Tour-du-Pin-Figeac (Giraud-Belivier), La Tour-du-Pin-Figeac (Moueix), La Marzelle, Petit-Faurie-de-Soutard, Tertre-Daugay, Villemaurine et Yon-Figeac.

La naissance
d'un vin

[Les principaux cépages]

I ne suffit pas d'un « bon » cépage pour obtenir des vins de qualité. Il doit être adapté au terroir dans lequel il va se dévelop-per, sol et climat confondus.

À charge pour le vigneron de créer les conditions favorables à son épanouissement, afin qu'il puisse exprimer au mieux ses qualités et son caractère. C'est là qu'intervient la conduite de la vigne, de la taille aux vendanges.

La deuxième étape est la vinification grâce à laquelle les raisins et leur jus sont transformés en vin, la fermentation en étant la phase principale. Vient ensuite le temps de l'élevage, en cuve ou en tonneau, puis l'embouteillage.

Le mot cépage désigne une variété de vigne produisant du raisin. Chacune a ses particularités.

Les cépages sont des points de repère importants. Les connaître donne une information essentielle sur le goût et le caractère du vin.

 Chenin : Val de Loire

Également appelé pineau de la Loire, le chenin est originaire du Val de Loire. Ce cépage tardif — on peut le récolter jusqu'en novembre — est utilisé pour l'élaboration de vins blancs aussi bien secs que demi-secs, moelleux et liquoreux.

Colombard : Bordelais/Charente

Ce cépage du Sud-Ouest, présent dans le Bordelais, est un des trois cépages utilisés dans l'élaboration des vins de distillation du cognac (Charente) et de l'armagnac. Il donne des vins vifs, fruités (agrumes) et fleuris.

Un mot d'ampélographie

Du grec *ampelos*, vigne, et *graphein*, décrire, l'ampélographie étudie la vigne. L'identification des cépages est basée sur l'observation de leurs caractères morphologiques : couleur des bourgeons et des baies, forme des feuilles et des rameaux, dimension des grappes...

Il existe plus de mille cépages à travers le monde dont les raisins diffèrent par le goût (plus ou moins acide ou sucré), la couleur – pellicule et pulpe pouvant être blanches ou colorées – et la grosseur, les baies des raisins de table étant en général plus grosses et charnues que celles des raisins de cuve, destinées à l'élaboration du vin. Ces derniers sont au nombre d'une cinquantaine tout au plus.

Gamay : Beaujolais/Mâconnais/Val de Loire

Cépage assez fertile, aux raisins d'un beau noir violet, plus ou moins serrés selon les variétés, qui préfère les sols granitiques aux terrains calcaires.

Le gamay noir à jus blanc produit des vins rouges légers, agréables et fruités (Beaujolais, Touraine).

Aligoté Bourgogne

Il s'agit d'un cépage bourguignon très ancien, précoce et relativement vigoureux. Ses petits grains sphériques, blanc orangé, sont mouchetés de brun.

Son rendement est supérieur à celui du chardonnay. Le vin qu'il produit ne porte pas le nom du village où il est cultivé (exception faite de Bouzeron), mais s'appelle légalement bourgogne aligoté. Il entre parfois dans la composition du crémant-de-bourgogne.

Cabernet franc : Bordelais/ Val de Loire

Le cabernet franc, cultivé dans le Bordelais, majoritairement sur la rive droite de la Garonne (saint-émilion, côtes-de-bordeaux,) souvent assemblé avec le cabernet-sauvignon, est aussi le premier cépage rouge de la Loire, cépage exclusif des appellations chinon, bourgueil, saumur, saumur-champigny. Il est également utilisé dans l'élaboration des vins rosés cabernet d'Anjou et de Saumur.

Ses vins, au goût de framboise, sont moins tanniques et colorés que ceux en cabernet-sauvignon.

Cabernet-sauvignon : Bordelais

Typique du Médoc et des Graves, le cabernet-sauvignon aime les climats tempérés, les sols pauvres et bien drainés. Ses petits grains très

foncés, noir bleuté, à la peau épaisse, donnent un jus incolore. De faible rendement, ce cépage constitue un bon complément pour le cabernet franc auquel il apporte structure tannique et couleur.

Ses vins, rouge sombre, ont un nez caractéristique de poivron vert et de cassis.

Chardonnay : Bourgogne/Champagne

On doit au chardonnay la renommée des grands vins blancs de la Côte de Beaune, de la Côte chalonnaise, du Mâconnais et de Chablis où il est appelé communément beaunois.

Il entre également dans la composition des champagnes (côte des blancs).

Ses petites grappes dorées sont riches d'un jus blanc délicieusement sucré. Les vins de chardonnay se caractérisent par des arômes délicats, des notes florales, d'agrumes, parfois minérales.

À évolution lente, c'est le cépage idéal pour le vieillissement des vins.

🍇 Gewurztraminer : Alsace

Parfaitement adapté aux sols marno-calcaires, granitiques et argilo-sableux, c'est un cépage exigeant, appréciant les terroirs les mieux exposés. Ses petits grains arrondis, rose à rouge clair, à peau épaisse, donnent un jus parfumé à la saveur légèrement musquée. Ses vins au nez intense, aux arômes de fruits exotiques, litchis notamment, et de rose, mais aussi d'agrumes et d'épices, sont d'une grande complexité. L'Allemagne et l'Autriche le comptent au nombre de leurs grands cépages.

🍇 Grenache blanc : Roussillon

Ce cépage à grosses grappes, aux grains moyens, vert jaune, très charnus, donne des vins riches, aux notes anisées et florales, gras, onctueux, très longs en bouche.

🍇 Grenache noir : Côtes du Rhône/Provence/ Languedoc-Roussillon

Le grenache, caractérisé par de grosses grappes noires, compactes et pulpeuses, est la base des vins rouges méridionaux et de certains

rosés fruités. Il a un fort potentiel alcoolique, une faible acidité, de la rondeur,
des arômes fruités (cerise, pruneau...) et
épicés.

✶ Malbec : Bordelais/Sud-Ouest/ Languedoc

Également appelé auxerrois ou cot, ce
cépage rouge est présent dans tout le
Bordelais. Il est également le principal
cépage du cahors. Il apprécie les terroirs
chauds et produit des vins sombres, très
tanniques. Leurs principaux arômes sont
la violette et la prune. Le premier producteur mondial de malbec est l'Argentine.

✶ Melon de Bourgogne

Synonyme de muscadet. Unique cépage de l'AOC Muscadet, originaire de Bourgogne, c'est l'un des cépages d'appellation les plus
précoces de France.

✶ Merlot : Bordelais

Cépage vigoureux, le merlot donne des vins relativement corsés,
souples, couleur grenat avec des arômes concentrés de fruits rouges.
Ce cépage est majoritaire dans le Libournais et notamment à Pomerol et
Saint-Émilion. Il est souvent associé au cabernet-sauvignon.

✶ Meunier : Champagne

Ce cépage vigoureux, aux grains à la peau épaisse, noir bleuté, à
la pulpe fondante et au jus abondant, convient particulièrement aux
terroirs argileux (vallée de la Marne) et s'accommode de conditions
climatiques difficiles.

Il donne des vins souples et fruités qui évoluent assez rapidement
dans le temps.

 Mourvèdre : Côtes du Rhône/Provence/ Languedoc-Roussillon

Sensible au vent, très exigeant en chaleur et lumière, ce cépage de fertilité moyenne a des besoins en eau faible. L'intensité et la qualité de ses arômes, aux notes caractéristiques de fruits noirs, d'épices, de poivre et de cannelle, croissent avec le vieillissement. Il apporte au vin couleur et charpente.

Muscadelle : Bordelais/Sud-Ouest

Cépage donnant des vins très aromatiques, rappelant le jus d'orange pressé et le musc, toujours associé en assemblage au sémillon et au sauvignon.

Pinot noir : Bourgogne/Champagne

Il a fait la renommée des grands vins rouges de Bourgogne et représente 39 % du vignoble de Champagne. C'est le cépage dominant de la Montagne de Reims et de la Côte des Bar. Parfait sur les terrains calcaires et frais, il produit des grappes compactes d'un noir violacé dont les petits grains serrés contiennent un jus abondant, incolore et sucré.

En Bourgogne, c'est au moment de la macération et de la fermentation en cuve que la matière colorante contenue dans la pellicule des baies donne au vin sa teinte rouge. Les vins qui en sont issus se distinguent par des arômes de fruits rouges et une structure marquée.

Riesling : Alsace

Cépage par excellence de la vallée du Rhin, il a besoin de nuits fraîches pour achever sa maturité et affectionne les terroirs légers et bien drainés. Ses vins, secs ou doux (vendanges tardives), sont acides et fruités, aux arômes d'agrumes, de pêche, de poire.

Sauvignon : Bordelais/Val de Loire/Sud-Ouest

Cépage blanc du Bordelais (entre-deux-mers, côtes-de-blaye) et du Val de Loire (sancerre, quincy, pouilly fumé), à petits grains ellipsoïdes jaune d'or, il donne des vins très aromatiques, vifs et sans prétention. Il entre aussi dans l'élaboration des liquoreux du Bordelais et du Sud-Ouest.

🍇 Sémillon : Bordelais

Ce cépage blanc, dont les grains deviennent rosés à maturité, est très présent dans le Bordelais. Il entre dans l'élaboration des sauternes et autres monbazillacs, apportant aux vins des notes de miel et de fleurs blanches. On le retrouve aussi dans les graves.

🍇 Syrah : Côtes du Rhône/Provence/Languedoc-Roussillon

La syrah aime les situations climatiques douces, sans trop de contraste. Ses petites baies noires aux reflets bleutés donnent des vins robustes, voire rudes car riches en tanins, et colorés, d'une grande richesse aromatique (cassis, framboise, violette, et réglisse) qui, avec les années, évolue vers des notes de vanille, havane, truffe, fruits rouges confits et cuir. La syrah est l'unique cépage rouge des appellations locales des Côtes du Rhône septentrionales (cornas, côte-rôtie, crozes-hermitage...).

 Ugni blanc : Sud-Ouest/Charente/Provence

Ce cépage d'origine toscane, aux baies rondes et juteuses, assez répandu dans le Sud-Ouest et en Charente (Cognac) donne un vin vif, clair et fruité, de faible garde, mais d'une grande finesse.

Viognier : Côtes du Rhône

Cépage vigoureux, il se contente de terrains pauvres, secs et caillouteux. Riche en alcool, il donne aux vins de la rondeur et des parfums floraux de violette, aubépine et acacia puis, avec l'âge de miel, de musc, de pêche et d'abricot sec. Il est le cépage unique des appellations condrieu et château-grillet.

[La conduite de la vigne]

La vigne est une liane qui doit être contrainte pour donner de beaux raisins. Celle qui nous intéresse appartient au genre vitis et à la famille vinifera. Pour la conduire, le vigneron tient compte de différents paramètres : le climat, le type de sol, l'orientation, le cépage et le rendement recherché. Concernant ces deux derniers éléments, dans le cas des AOC-AOP, AO-VDQS-AOP et IGP, le cahier des charges établi par l'INAO encadre très strictement les règles de culture. Tout commence avec le travail du sol qui, lui aussi, doit tenir compte des particularités du terroir. Une terre trop riche sera mise en herbe pour mettre la vigne en concurrence, un sol trop sec sera aéré pour éviter à la vigne de manquer d'eau, la pratique de l'irrigation étant très encadrée. Le vin futur se construit ainsi, pas à pas. Du liage des sarments au rognage qui permet de laisser passer la lumière. La taille détermine le volume de la récolte à venir. Plus on taille court, moins il y aura de grappes. Les tailles guyot, en cordon, en gobelet et en lyre sont les plus couramment utilisées. C'est généralement à la fin de l'hiver, entre février et mars, que sont raccourcis les sarments de l'année précédente pour favoriser les jeunes pousses et la récolte future. À savoir, tailler court, avoir peu de raisins, mais qu'ils soient riches et concentrés en arômes, au risque en cas d'accident climatique (grêle, etc.) de tout perdre, ou bien tailler plus long, privilégier ainsi le volume et se donner la possibilité de rectifier après coup, c'est-à-dire de supprimer le raisin en surplus. La vendange sera ensuite récoltée, parcelle par parcelle, cépage par cépage.

❖ La vinification

Le terme recouvre l'ensemble des opérations relatives à l'élaboration du vin, de l'entrée des raisins dans le chai et la transformation de leur moût (jus) en vin jusqu'à l'élevage et la mise en bouteille. Cette phase est déterminante car elle révèle, avec justesse ou non, le caractère du terroir et du cépage. Elle n'est pas la même pour les vins rouges, rosés, blancs et effervescents. À ce stade, les vins sont toujours monocépages. Ce n'est qu'après la fermentation qu'ils feront l'objet d'un assemblage censé apporter au vin complexité, équilibre et harmonie.

La chaptalisation

e procédé, mis au point par le Français Jean-Antoine Chaptal (1756-1832), consiste à ajouter du sucre de bette-rave ou du jus de raisin (concentré en sucre) avant ou pendant la fermentation pour augmenter le degré d'alcool final d'un vin. Cette pratique, extrêmement réglementée, est systémati-quement utilisée dans les régions bénéficiant d'un ensoleille-ment moindre. Elle est interdite en Languedoc-Roussillon et en Provence.

La chaptalisation, autorisée en 1936, était réservée aux mauvaises années, mais il semble qu'elle se soit banalisée afin d'obtenir des vins plus ronds et séduisants.

❖ La fermentation alcoolique

La vendange est d'abord éraflée. Cette opération est facultative, même si la rafle, partie ligneuse de la grappe, donne au vin un goût herbacé assez préjudiciable. Les raisins sont ensuite foulés, afin de libé-rer le jus des baies.

La fermentation alcoolique, principale phase de la vinification, va pouvoir commencer. L'ensemble du jus, des peaux et des pépins, auquel est généralement ajouté un antiseptique, le SO_2 (anhydride sulfureux), est mis en cuve thermorégulée.

Sous l'action des levures, de micro-organismes présents sur la peau (pruine) des raisins, les sucres se transforment en alcool éthylique. Les levures ont besoin d'une température de 12 8C pour agir. Une température inférieure ralentit, voire stoppe la fermentation, produisant ainsi des vins plus légers et moins colorés.

La fermentation génère également du dioxyde de carbone. Sous son action, la cuve est dissociée en deux étages distincts. Le jus est surmonté d'un chapeau de marc, formé des parties solides de la vendange (pulpe, peaux).

Des substances dites « secondaires » comme les tanins, les substances aromatiques et les acides organiques, se développent également, associées à la chaleur.

Au-delà de 34 8C, le processus de fermentation est stoppé ; au-delà de 45 à 50 8C, les levures meurent. Si les levures naturelles, indigènes, sont médiocres, le vigneron a recours à des levures sélectionnées.

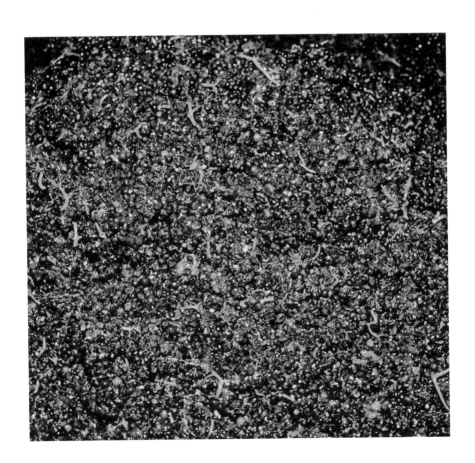

La levure à la banane

près la vendange, la fermentation alcoolique démarre sous l'action soit de levures contenues dans la peau du raisin, on parle alors de levures indigènes, soit ajoutées par le vinificateur (levures exogènes). Ces levures, sélectionnées et cultivées en laboratoire, peuvent être aromatisées, l'exemple le plus célèbre nous ayant été donné par le fameux arôme de banane du beaujolais. Un autre procédé a fait son apparition : la macération préfermentaire à chaud (MPC). Cette technique, censée corriger les défauts d'un millésime difficile, tend à se généraliser depuis les années 90, que ce soit sur des vins primeurs, de l'année ou de garde. Elle donne, en Beaujolais toujours, des vins uniformes, typés par des arômes de cassis intenses et une couleur très prononcée.

❖ La macération

La fermentation alcoolique dure quatre à dix jours sans pour autant que la cuvaison soit achevée. La macération, courte pour les vins primeurs, souples et peu tanniques, dure entre deux et quatre semaines pour les autres, afin de renforcer leur structure et leur coloration. L'écoulage permet de sortir la masse liquide de la cuve par un robinet. On l'appelle vin de goutte. Le marc est lui comprimé par pressurage, pour libérer le liquide qu'il contient, dit vin de presse.

❖ La fermentation malolactique

Cette seconde fermentation se produit après la fermentation alcoolique et la mort des levures, généralement dans les deux mois qui suivent ou au printemps.

Elle est générée par les bactéries lactiques présentes naturellement dans le moût.

Celles-ci, en se développant, consomment l'acide malique (instable) et rejettent de l'acide lactique (stable). La macération malolactique est terminée lorsque l'acide malique a disparu. Cette opération permet de diminuer l'astringence des vins, de les assouplir. Cela concerne notamment les vignobles des régions septentrionales, aux acidités naturelles importantes.

Dans les régions très ensoleillées, ou quand il s'agit d'un vin blanc dont on veut conserver le fruité et les arômes secondaires, c'est l'inverse qui est recherché, à savoir préserver une certaine acidité du vin pour en maintenir l'équilibre.

Dans ce cas, la fermentation malolactique est volontairement stoppée, en éliminant la bactérie qui peut la déclencher.

Question d'arômes

Les arômes liés au type de cépage et de raisin, exprimés avec plus ou moins de complexité et d'intensité selon les variétés, sont dits primaires. Ils évoquent généralement des odeurs fleuries, fruitées ou végétales. Ceux issus de la fermentation alcoolique sont appelés arômes secondaires ou arômes de fermentation et viennent compléter les premiers. Ils sont de deux sortes, amyliques (banane, bonbon anglais, vernis à ongles...) et fermentaires (brioche, mie de pain...). Une troisième famille, celle des arômes lactés (beurre frais, crème fraîche, noisette...), est issue de la fermentation malolactique.

❖ Effervescence et méthode champenoise

Le vigneron procède à une première fermentation en cuve qui transforme le moût en vin à partir des sucres du raisin. Il s'agit d'un vin tranquille, issu de différents cépages et de plusieurs vignobles assemblés en cuvée. Dans le cas d'un champagne non millésimé, on peut aussi ajouter du vin d'années antérieures, dans le but de conserver une qualité constante, la signature de la marque concernée.

Une fois l'opération achevée, intervient la deuxième étape, la fermentation en bouteille, dite prise de mousse. Son objectif : rendre le vin effervescent. Une petite dose de sucre et des levures (liqueur de tirage) sont ajoutées au moment du tirage en bouteille. La fermentation alcoolique se déroule, dans ce cas précis, à l'échelle de la bouteille, bouchée avec une capsule hermétique, et couchée « sur lattes » pour une durée qui varie en fonction de l'appellation (quinze mois minimum).

Les levures transforment le sucre en alcool, dégagent de la chaleur et du dioxyde de carbone. La mousse se forme en même temps qu'un dépôt de cellules mortes, les levures…

Pour le décoller, les bouteilles sont placées sur un pupitre, tête vers le bas et tournées régulièrement d'un quart de tour, pour que le dépôt s'accumule dans le col.

Cette opération achevée, le col des bouteilles, toujours tête en bas, est enfoncé dans une solution réfrigérante, à -25 8C.

Les sédiments, transformés en glaçons, sont éjectés lors du décapsulage, sous la pression du gaz.

C'est le dégorgement. Pour combler le vide, un vin de remplissage stérilisé et parfois une « liqueur de dosage », à base d'un vin de champagne d'au moins deux ans d'âge, sont ajoutés avant le capsulage définitif. La présence plus ou moins importante de sucre dans la liqueur, voire son absence, détermine la qualité du vin, brut, sec, demi-sec, etc.

Une méthode, deux noms

La mention « méthode champenoise » est, depuis 1994, la « propriété exclusive des Champenois » et des AOC-AOP champagne. Le processus d'élaboration des crémants, même s'il utilise la même technique, est appelé « méthode traditionnelle ». Pour en bénéficier, le vin doit avoir séjourné en bouteille (sur lie) au minimum neuf mois (douze en Champagne). Sinon, la seule appellation autorisée est celle de « vin mousseux ».

❖ La vinification en blanc sec

Le vin blanc est généralement élaboré à partir de raisins noirs ou de raisins blancs. Dans le Bordelais, les blancs secs sont obtenus uniquement à partir de raisins « blancs de blancs », c'est-à-dire à jus et pellicules blancs. Afin de séparer le jus des parties solides, la vendange est pressée dès son arrivée. Pour intensifier les arômes du futur vin, les peaux peuvent être laissées en contact avec le moût, à raison de quatre à six heures maximum, pour ne pas le colorer et limiter l'apport en tanins. Les raisins doivent être parfaitement sains et éraflés. Pour

débarrasser le jus obtenu de ses impuretés, on procède au débourbage, c'est-à-dire à l'élimination des matières en suspension, en laissant reposer le liquide dans des foudres. De l'anhydride sulfureux peut être alors ajouté pour faciliter le dépôt des impuretés et surtout éviter l'oxydation et une fermentation prématurée. Le jus est clarifié, via plusieurs filtrations, puis placé dans des cuves en acier inoxydable ou en ciment, à moins que ce ne soit directement en fût, où va s'opérer la fermentation alcoolique, à une température de 18 8C environ. Elle va durer, en moyenne, 12 à 15 jours, voire 25 s'il s'agit d'un grand bourgogne.

❖ La vinification du rosé

Le rosé est généralement obtenu à partir de raisins noirs, selon deux techniques. Dans le cas du pressurage direct, la macération dure entre quatre et vingt-quatre heures. Quand la couleur désirée est acquise, le vigneron met le pressoir en action. Le procédé est idéal pour produire des vins rosés très pâles, souvent appelés gris, compagnons prisés de l'apéritif ou des repas légers. Le rosé de « saignée » est obtenu en soutirant une partie du jus, souvent un quart de la cuve, pendant la fermentation. Il est ensuite vinifié séparément selon la méthode des vins blancs. Le rosé est alors plus soutenu en couleur, « saumoné », mais aussi plus intense et corsé.

❖ La vinification des vins doux naturels

Un vin doux naturel est un vin dont la fermentation alcoolique a été stoppée par addition d'alcool vinique (eau-de-vie) neutre au moût. On parle alors de vin muté. Ce procédé a pour but d'augmenter la richesse alcoolique du vin tout en conservant une grande partie des sucres naturels du raisin. Il est donc très « doux ». Suivant le type de VDN élaboré (banyuls, rivesaltes, rasteau, muscats, etc.), blanc, rouge ou rosé, le mutage est pratiqué à un stade déterminé de la fermentation alcoolique, avec ou sans macération. La proportion (de 5 à 10 % maximum), le titrage de l'alcool vinique (au moins 96 % vol.) et la quantité de sucre non transformé devant rester dans le moût sont réglementés pour chaque appellation.

Passerillage, *Botrytis cinerea* et cryoextraction, le privilège des moelleux et liquoreux

Attention à ne pas confondre vin doux, liquoreux et moelleux. Leur teneur en sucre résiduel saura faire la différence, 30 à 50 grammes par litre pour un moelleux, jusqu'à 300 grammes pour un liquoreux. De l'un à l'autre, les méthodes de production diffèrent. Ils peuvent être élaborés à partir de vendanges en blanc de raisins très murs (surmaturés), desséchés naturellement sur cep ou entreposés sur claies, dans un lieu ventilé, claies qui ont remplacé le lit de paille d'autrefois. On parlera alors de passerillage et parfois de vin paillé (jurançon). Les vendanges, tardives, se déroulent entre octobre et décembre. Les baies peuvent être atteintes de pourriture noble (*Botrytis cinerea*), un champignon qui se nourrit de l'eau du raisin, concentrant ainsi le sucre.

Les grains apparaissent moisis, fripés. Sauternes et tokaji en sont l'exemple type. Troisième méthode, utilisée au Canada et en Allemagne, les raisins sont vendangés de nuit, naturellement congelés à -7 °C. On parle alors de vin de glace ou d'Eiswein. Le cycle de fermentation de ces vins est très lent en raison de l'extrême concentration en sucre du jus.

[L'élevage]

L'élevage recouvre l'ensemble des opérations allant de la fin de la fermentation malolactique pour les vins rouges à la mise en bouteille. Le vin nouveau est trouble et gazeux.

Le collage permet de le clarifier et de le stabiliser par adjonction d'une « colle », bentonite (argile fine), blanc d'œuf, gélatine ou caséine, etc. Le soutirage permet ensuite de filtrer les lies, d'éliminer le dioxyde de carbone encore présent et d'aérer le vin.

Cette opération, et avec elle l'évaporation naturelle, entraîne une déperdition de volume. Pour éviter que le vin ne s'oxyde, l'éleveur compense cette perte par l'ouillage, en rajoutant régulièrement du vin de même origine dans les cuves ou les fûts.

Le vin mûrit ainsi en cuve en inox ou ciment pour les vins de consommation rapide, ou en barrique, fût ou tonneau de chêne, compagnons incontestés, quand ils sont de qualité, des grands vins de Bordeaux et de Bourgogne, auxquels ils apportent leurs tanins et donnent cette saveur si agréable de vanillé, de toast ou de pain grillé. Le processus de vieillissement peut ainsi démarrer.

Un an, deux ans, voire beaucoup plus (cinq ans pour les banyuls hors d'âge), peuvent ainsi s'écouler avant la mise en bouteille des grands vins et de certaines cuvées.

Chênes d'exception

Des chênes d'exception pour des vins d'exception.... Les futaies des forêts domaniales de Fontainebleau, Bercée, Jupilles, Loches et Tronçais fournissent le bois, le merrain, nécessaire à la fabrication des tonneaux ou fûts d'élevage des plus grands crus et dans une moindre mesure du cognac. Trois cents ans d'âge...

Un chêne de qualité merrain doit être jaune paille, homogène et clair, ses cernes fins et réguliers avec un espacement inférieur à deux millimètres. C'est cette particularité qui permet de conjuguer la pauvreté en tanins à la richesse aromatique tant recherchée.

[L'embouteillage]

L'embouteillage est une opération délicate. Le vin est pompé dans les cuves ou tonneaux où il a été élevé. Il passe ensuite par un réservoir tampon avant de transiter par les filtres puis est aspiré vers la tireuse. À l'autre extrémité de la chaîne, les bouteilles vides sont placées sur le tapis roulant qui les emporte vers le tourniquet de rinçage. La tireuse remplit les bouteilles : le vin descend par gravité sous vide. Le bouchon est fortement comprimé et introduit dans le goulot d'où l'air a été évacué. Les bouteilles cheminent alors sur un tapis « poumon », le temps que les bouchons reprennent leur diamètre d'origine et soient ainsi parfaitement étanches.

L'embouteilleur n'est pas forcément celui qui met physiquement les vins en bouteille. Il s'agit d'une personne physique ou morale, ou d'un groupement de personnes, qui procède ou fait procéder pour son compte à l'embouteillage. Il peut aussi faire venir un groupe d'embouteillage mobile sur sa propriété, ou confier son vin à un tiers qui procédera à l'opération pour son compte, c'est-à-dire sur ses indications et sous son contrôle.

Dans tous les cas, l'embouteilleur apparaissant sur l'étiquetage est propriétaire du vin au moment de l'embouteillage. Il est responsable, tant civilement que pénalement, de tous les problèmes qui pourraient survenir.

Goûts de bouchon

Le Portugal est le premier exploitant de *Quercus suber*, le chêne-liège, dont l'écorce, une fois prélevée, séchée et bouillie, donne le liège dont on fait les bouchons. Mais il y a bouchon et bouchon. Les plus longs, 54 mm très exactement, sont généralement destinés aux vins de garde, AOC-AOP et AO-VDQS-AOP. Ils sont fabriqués avec les meilleurs lièges (liège naturel). Dans ce cas, le bouchon est formé d'une seule pièce. Le bouchon standard, 44 mm, garantit un temps de garde de trois à cinq ans. Le corps de ce bouchon peut être en liège aggloméré et ses extrémités composées d'une rondelle de liège naturel, garantissant ainsi son étanchéité. Les plus courts, d'entrée de gamme, en liège aggloméré, sont composés de granulés provenant des chutes du liège naturel après tubage, ou de lièges trop minces et sont utilisés pour les vins de petite garde et les vins mousseux. Il arrive que, malgré tous les soins apportés, le bouchon donne au vin une odeur et un goût désagréable, goût de moisi, de poussière, de renfermé, le rendant imbuvable. La qualité du liège, et les adjuvants utilisés pour le traiter, peuvent en être la cause. De nouveaux types de bouchage ont ainsi fait leur apparition comme la capsule à vis.

[Les labels bio]

L e phénomène reste marginal (2 % de la surface agricole utile (SAU)), mais un nombre toujours plus important de domaines se tournent vers l'agriculture raisonnée, biologique ou biodynamique, produisant des vins dits « nature » ou « naturels ». Il existe plusieurs labels et certifications bio : AB pour agriculture biologique, Nature et Progrès (agriculture biologique), Demeter et Biodyvin (agriculture biodynamique).

Chacun a un cahier des charges extrêmement précis. Le label AB atteste d'une production de raisins dans le respect des règles de l'agriculture biologique (ni engrais chimique ni pesticides).

Mais cette garantie s'arrête aux portes du chai. La certification Nature et Progrès va plus loin. Pour pouvoir y prétendre, le domaine concerné doit être certifié AB et vendanger manuellement sa récolte.

La vinification est également encadrée avec obligation de n'utiliser que des levures naturelles ou indigènes, chaptalisation possible à hauteur de 1 %, collage

au blanc d'œuf bio ou avec de la bentonite, limitation de moitié par rapport aux seuils de tolérance européens d'apport en acide tartrique et de dioxyde de soufre (SO_2), etc.

Le label Demeter est tout aussi exigeant, mais son approche est légèrement différente, la culture bio dynamique prenant en compte aussi bien les interactions environnementales que les rythmes cosmiques.

La certification « vin Demeter » s'attache à garantir des crus vinifiés selon des règles strictes, « sans aucun ajout pour la vinification, l'élevage et la conservation » : levures exogènes interdites, collage à la bentonite seul autorisé et/ou blanc d'œuf bio pour les VDN, taux d'adjuvants très bas, etc.

En résumé, un vin naturel est un jus de raisin fermenté et vinifié le plus naturellement possible.

Odeur de soufre

Lors de la fermentation, les levures produisent des sulfites (anhydride sulfureux), un composé du soufre, à raison de moins de 10 milligrammes par litre. Au-delà du taux de 10 mg/l, les étiquettes ou contre-étiquettes doivent porter la mention « contient des sulfites ». Cette indication signale, par défaut, qu'au moment de la vinification ou de la mise en bouteille, des sulfites (SO_2) ont été ajoutés. Dans le cas d'un vin blanc sec, la législation européenne autorise leur présence à hauteur de 210 milligrammes maximum par litre. Le cahier des charges Demeter la limite à 90 milligrammes.

Un grand nombre de personnes sont en effet intolérantes ou allergiques aux sulfites. À haute dose, ils peuvent provoquer des maux de tête ou d'estomac. Mais très rares sont les producteurs qui osent le vin sans sulfites exogènes.

Le SO_2, communément appelé soufre, est utilisé pendant la vinification pour ses propriétés antiseptiques et comme antioxydant. Il stabilise les vins, mais les durcit également. Les vins sans « soufre » ajouté requièrent des conditions irréprochables de vinification et des conditions optimales de stockage et de conservation, 14 °C étant le maximum supporté...

Condition que de nombreux cavistes et particuliers ne peuvent satisfaire. Le plus de ces vins sans soufre, dits « naturels » : pour les meilleurs, une très belle pureté d'expression, un terroir et un cépage retrouvé. Mais certains peuvent aussi présenter des déviations importantes ou des oxydations prématurées, notamment en vin blanc, les tanins des vins rouges faisant office d'antioxydants, et réserver des surprises très désagréables.

 Ces vins surprennent généralement les amateurs, par leur degré d'alcool, souvent plus faible que celui des vins traditionnels, en raison du travail des seules levures indigènes, mais aussi par leur minéralité, par leurs robes assez déconcertantes, peu colorées pour les vins rouges, plus intenses pour les blancs, dont le nez renvoie directement au fruit, au raisin, quand celui des rouges se tourne vers des arômes de fleurs aux dépens des notes familières de fruits rouges.

Les vins bio sont-ils meilleurs que les autres ? La polémique fait rage. Tout dépend ici comme ailleurs du talent du vigneron et de ce que l'amateur attend d'un bon vin.

Choisir son
style de vin

[Choisir un vin] ·

Buvez peu mais buvez bien. Surtout, ne gâchez pas votre bouche avec n'importe quoi. Voici quelques règles simples. D'abord, évitez le quart de rouge non identifié, estampillé vin de table ou vin de pays. Notez la nuance... Idem pour le ballon de rouge ou de blanc, ce dernier assez souvent labellisé alsace, muscadet ou gros-plant. La sensation en bouche est quelquefois très désagréable. Ne traumatisez pas vos papilles... Vous avez aussi le droit de savoir quel liquide contient votre verre.

N'hésitez pas à le demander et passez votre tour en cas d'explication alambiquée.

Mais parfois surgit une divine surprise, comme un vin blanc sec, fruité, frais en bouche, aux arômes d'agrumes. Vous aimez les vins blancs aromatiques ? Notez ses références, côtes-de-blaye, cépage 100 % sauvignon (voir chapitre 1), et de la rive droite de l'estuaire de la Gironde, poursuivez votre chemin plus au sud, entre Garonne et Dordogne, au pays de l'entre-deux-mers qui produit des vins blancs secs et nerveux.

Agrandissez le cercle de vos fréquentations bachiques à la vallée de la Loire, au sancerre, pouilly-fumé aux arômes de pierre à fusil, quincy et autre menetou-salon, robe aux reflets d'or pâle, arômes herbacés.

Attention aux arômes de pipi de chat, signe que le raisin a été récolté avant maturité. D'une appellation à l'autre, apprenez à distinguer les nuances aromatiques des vins issus de ce cépage fortement influencé par son terroir d'origine.

Laissez-vous aussi tenter par des vins d'ailleurs, comme les sauvignons néo-zélandais ou australiens.

[Les vins blancs]

❖ Les vins blancs secs

Ces vins légers et sans histoires évoquent, en bouche, le goût du raisin nuancé d'une petite pointe d'acidité, pouvant même en être mordants. Ne leur en demandez pas plus. Toniques, sans sucres résiduels, ils sont avant tout désaltérants et rafraîchissent agréablement le palais. Ce sont des vins à boire jeunes, compagnons incontestés des fruits de mer, coquillages et crustacés. Leur température idéale de dégustation oscille entre 8 et 10 8C. On trouve parmi eux le muscadet, idéal avec les huîtres et les moules, les gros-plant (Val de Loire), picpoul-de-pinet (Languedoc), crépy (Savoie) et autre edelzwicker (Alsace), tout à fait typique de cette catégorie de vin blanc sec. Voilà ce qu'en dit le comité interprofessionnel des vins d'Alsace, le CIVA : « l'edelzwicker reste un vin généralement simple et facile à boire, alliant fruité et fraîcheur en bouche. De structure légère, il n'a guère de potentiel de garde et doit être réservé aux plats simples tels que les salades, charcuteries ». On peut ajouter à cette liste le vinho verde portugais ou un sauvignon du Chili ou de Nouvelle-Zélande.

❖ Les vins blancs secs aromatiques et légers

Plus complexes que les précédents, vraiment sans prétentions mais tellement agréables à boire, ces vins blancs offrent une palette aromatique et des parfums plus marqués, plus affirmés. Ils peuvent se déguster seuls, leur personnalité et leur charme suffisent. Ces blancs évoquent

en bouche un raisin mûr, légèrement acide, avec une pointe de sucre et du fruit. Ils se servent généralement à une température de 12 8C. Le sancerre (Val de Loire) est un classique du genre, plein de charme et de nervosité. L'entre-deux-mers et certains côtes-de-blaye (Bordelais), idéaux à l'apéritif, appartiennent aussi à cette famille de vins aromatiques, avec le bandol et le cassis (Provence), nez de miel et robe de velours, que l'on appréciera sur un steak de thon ou une ratatouille, à moins qu'on ne leur préfère un mâcon, un pouilly-fuissé, un rully aux arômes de noisette et de violette ou un beaujolais (Bourgogne), ces derniers se mariant également avec une poule au pot ou un crottin de chavignol. On en oublierait presque, en cépage chardonnay, le chablis et le saint-véran, tout en arômes d'acacia, d'amande et de pierre à fusil, que l'on assortira aussi bien à un petit salé-lentilles qu'à une tarte aux poireaux. Ce sont souvent des vins de petite et moyenne garde.

❖ Les vins blancs intenses

Ils comptent essentiellement parmi eux des vins de moyenne et longue garde, généreux, complexes, dont les arômes et les saveurs s'enrichissent au fil des années. Ces vins de caractère appellent, pour certains, des plats longuement mijotés, viandes en sauce, à la crème, poissons fumés, grillés ou poêlés, pour les riesling et pinot gris (Alsace), mais aussi le condrieu (Côtes du Rhône), cépage viognier, aux parfums d'acacia, de violette, d'iris et d'aubépine, les meursault ou puligny-montrachet (Bourgogne) qui apprécient également la compagnie des viandes blanches rôties (chapon, poulet, etc.), à moins qu'un savennières (Val de Loire/Anjou), aux arômes de miel et de fruits secs, ne comble vos attentes.

❖ Les vins blancs doux

Ces vins blancs sucrés, classés en vins demi-secs (ou demi-doux), moelleux ou liquoreux, fondants en bouche, sont embouteillés avant que tout le sucre se soit transformé en alcool. Les sauternes (Bordelais) et barsacs en sont l'expression la plus juste. Ils accompagneront à merveille, dans leur prime jeunesse, un canard à l'orange ou aux pêches ou son escalope de foie gras. Ils vous réjouiront, associés au roquefort et autres fromages persillés. Leurs petits cousins, monbazillac, saussignac, jurançon, loupiac, sainte-croix-du-mont, cérons et haut-de-montravel, apprivoisent aussi avec élégance le « gâteau des rois », le pithiviers et sa crème aux amandes, à moins que vous ne lui préfériez un paris-brest. Plus confidentiels, certains crus de la vallée de la Loire, bonnezeaux, quarts-de-chaume, coteaux-du-layon, sont tout aussi exquis pour qui aime, bien sûr, ces douceurs, et s'accommodent aussi parfaitement d'un poulet tandoori ou d'un canard laqué. On retrouve cette suavité avec le trockenbeerenauslese ou TBA, vin produit en Allemagne et en Autriche, au parfum de miel, et avec le tokaji hongrois.

Question de sucre

a différence entre un vin moelleux et un vin liquoreux tient à la teneur en sucre résiduel des vins. Entre 10 et 45 grammes par litre, on parle d'un vin moelleux. Au-delà, il s'agit d'un liquoreux, issu de la pourriture noble ou du passerillage.

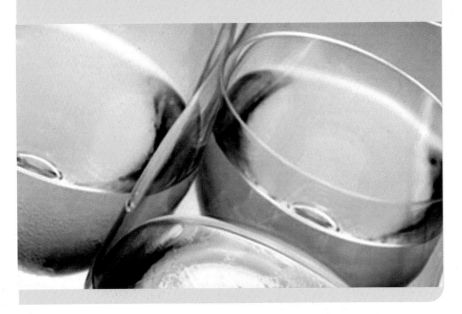

[Les vins pétillants
et mousseux]

ins pétillants et mousseux appartiennent à la famille des vins à bulles, dits « effervescents », par opposition aux vins « tranquilles ». Les bulles et la mousse qui les caractérisent sont obtenues grâce à la rencontre du liquide et du gaz carbonique procurée par le biais de différentes techniques.

Les vins mousseux, catégorie à laquelle appartiennent les champagnes, mais aussi la blanquette de Limoux, la clairette de Die (arômes d'abricot et de pamplemousse) et certains vins (anjou, bourgogne, bugey, gaillac, saumur, savoie, vouvray) contiennent deux fois plus de gaz carbonique que les pétillants.

Concernant ces derniers, l'INAO (institut national de l'origine et de la qualité) recense cinq AOC-AOP : bugey, montlouis-sur-loire, touraine, savoie et vouvray. Cette dernière produit des vins issus du chenin blanc qui, jeunes, dégagent des arômes d'acacia, de rose et d'agrumes, puis en vieillissant, d'abricots et de miel de fleurs.

Il existe aussi des vins mousseux « crémants » comme les crémants d'Alsace, de Bordeaux, de Bourgogne, de Die, de Loire et du Jura. Les méthodes de vinification utilisées diffèrent d'une famille à l'autre, méthode champenoise ou traditionnelle pour les champagnes et crémants, méthode ancestrale ou artisanale pour les pétillants.

Un bon champagne se reconnaît à ses bulles. Elles forment des dizaines de « trains de bulles » ininterrompus qui composent la mousse. De petites bulles se superposent ainsi délicatement autour de la surface en collerette ou cordon. Elles magnifient les arômes acidulés de fruits frais, de fruits exotiques et de fleurs blanches des jeunes champagnes. Bruts, ils seront parfaits à l'apéritif, à condition d'oublier chips et cacahuètes, et de privilégier des toasts de poisson légèrement fumé (saumon, truite), de tarama ou d'œufs de saumon.

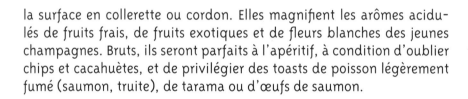

Le sucre dans tous ses états

Selon la teneur en sucre de la liqueur d'expédition (ou liqueur de dosage) on parle de :

* Brut nature – pas de dosage ajouté ;
* Extra brut – jusqu'à 6 grammes de sucre par litre ;
* Brut – jusqu'à 15 grammes de sucre par litre ;
* Extra sec – de 12 à 20 grammes de sucre par litre ;
* Sec – de 17 à 35 grammes de sucre par litre ;
* Demi-sec – de 33 à 50 grammes de sucre par litre ;
* Doux – plus de 50 grammes de sucre par litre.

La qualité des vins, doux, demi-sec, sec, brut et brut nature, est déterminée par la teneur en sucre de la « liqueur de dosage » qui est parfois rajoutée avec le vin de remplissage, dernière étape du processus de fabrication des vins mousseux.

Pour conclure, sachez qu'il vaut mieux une bonne clairette, une blanquette ou un crémant qu'un mauvais champagne trop acide ou amer et qu'un crémant d'Alsace, servi frappé, entre 5 et 7 8C, aux arômes de poire, de pomme, de pêche ou d'abricot, aux notes parfois de fruits secs, de fleurs blanches et de brioche, à l'instar d'un montlouis-sur-loire, peut être divin à l'apéritif.

Ça pétille ou ça mousse ?

e niveau d'effervescence varie avec la quantité de gaz carbonique dissous ou selon la pression intérieure de la bouteille. On parle de vin pétillant quand, bouteille fermée, à une température de 20 °C toujours, le gaz carbonique dissous subit une surpression de 1 à 2,5 bars.

Les vins mousseux (champagnes et crémants), dans les mêmes conditions, subissent une surpression supérieure à 3 bars. Une bouteille de champagne est conçue pour résister à une pression de 20 bars, soit trois fois plus que celle du champagne lui-même. Les vins perlants (gaillac, savoie, muscadet) sont des vins tranquilles qui contiennent plus de 1 gramme de gaz carbonique par litre. Les bulles se forment à une température de 20 °C environ. Ils laissent une agréable sensation de fraîcheur en bouche.

[Les vins doux naturels]

Les vins rouges mutés sont des vins doux naturels, autrefois appelés vins d'Espagne, obtenus par mutage, un procédé qui stoppe artificiellement la fermentation et préserve ainsi une partie des sucres résiduels. Le Languedoc-Roussillon produit près de 90 % des VDN français. Parmi les appellations les plus connues : maury, rivesaltes, banyuls et banyuls grand cru (rouge).

Excellents avec le chocolat, le café, à tester également sur un gâteau moka café ou un pithiviers, ils se consomment aussi bien en dessert qu'à l'apéritif. Les muscats (en blanc) peuvent s'apprécier sur une tarte tatin, aux quetsches ou aux mirabelles, ou sur des fruits exotiques, sans oublier le melon…

Servir entre 8 et 10 8C. Pas trop frais, pour ne pas surcharger les papilles en sucre. On peut aussi s'aventurer sans risque hors des frontières de l'Hexagone avec le marsala italien, xérès espagnol et madère et porto portugais, ce dernier étant particulièrement le bienvenu avec un grand roquefort.

Vin doux naturel : les treize appellations AOC-AOP

* Banyuls
* Banyuls grand cru
* Grand Roussillon
* Maury
* Muscat de Beaumes-de-Venise
* Muscat de Frontignan ou frontignan ou vin de Frontignan
* Muscat de Lunel
* Muscat de Mireval
* Muscat de Rivesaltes
* Muscat de Saint-Jean-de-Minervois
* Muscat du Cap Corse
* Rasteau
* Rivesaltes

Banyuls grand cru : l'exception

Le banyuls grand cru est le seul VDN français à avoir droit à cette mention. Sa production obéit à un cahier des charges particulièrement strict. La récolte des raisins, la vinification, l'élaboration et l'élevage des vins doivent être assurés sur le territoire des communes de Banyuls-sur-Mer, Cerbère, Collioure et Port-Vendres (Pyrénées-Orientales). Le raisin doit être issu, à 75 % minimum, du cépage grenache noir. Les vins sont obtenus par macération pendant cinq jours minimum de la vendange égrappée. Mais elle peut durer jusqu'à six semaines. L'élevage, sous bois, dure au moins trente mois. Le temps de magnifier les arômes complexes de pruneau, café, vanille et épices du vin. Les vieux millésimes de banyuls grand cru se dégustent à une température de 17 ou 18 °C. Ils font d'excellents vins de garde (30 ans voire plus)...

[Les vins rosés]

es vins rosés sont obtenus, en France, par pressurage ou saignée (voir chapitre 2). Le mélange de vin blanc et de vin rouge n'est pas autorisé. Les premiers se reconnaissent à leur couleur, un délicat gris-rose assez pâle. Ils peuvent donner des vins complexes et puissants. Les rosés dits de saignée sont souvent plus riches et plus corsés que les précédents et peuvent faire jeu égal avec des vins rouges légers. Leur potentiel de garde est restreint, trois ans tout au plus.

Ces vins s'apprécient généralement dans leur prime jeunesse, à une température de ıo à ı2 8C. Ce sont des vins d'apéritif, de repas légers, comme le bandol (Provence), ayant assez de corps pour être délicieux avec la cuisine thaïe en général, un curry ou un poulet rôti. Avec ce dernier, on peut lui préférer un côtes-de-provence ou un tavel (Côtes du Rhone). Un bordeaux clairet accompagnera à merveille une piperade, un steak de thon, du rosbif froid ou une pizza, avec laquelle pourra également s'entendre un marsannay (Bourgogne). Oubliez vos a priori et soyez sélectifs. Vous pourriez alors avoir de très belles surprises avec les rosés, de plus en plus chics.

[Les vins rouges]

❖ Les vins rouges légers

Beaujolais, saint-pourçain, côtes-d'auvergne, sancerre... On dit d'eux qu'ils ont souvent plus de nez que de bouche, eu égard à leurs arômes flatteurs. Ces vins faciles à boire, gouleyants, peu tanniques, peuvent être délicieux. Un beaujolais ou un anjou-villages, servis frais, accompagneront à merveille des beignets de légumes ou une pizza. Un côte-roannaise ou un vin de Corse peuvent aussi être très agréables. On peut consommer certaines appellations sous la forme de vin primeur ou vin nouveau.

C'est le cas notamment du beaujolais, le plus célèbre d'entre eux. La mise en vente démarre le troisième jeudi du mois de novembre suivant les vendanges. Ces vins sont sans histoire. Leur principe : aussitôt achetés, aussitôt bus. Du côté italien, les *valpolicella* et *chianti* (jeune) sont de possibles compagnons de route des spaghettis à la carbonara ou du carpaccio.

❖ Les vins de caractère

Les choses sérieuses commencent avec des vins plus complexes, plus longs en bouche, faisant preuve de caractère et typiques d'un terroir. Ce sont des vins qui, bien souvent, gagnent à vieillir quelques années pour exprimer tout leur tempérament. Ce sont de « bons » vins, équilibrés entre sucre et acidité, et dont les tanins sont parvenus à maturité.

Ils sont chaleureux, parfois corsés. On trouve parmi eux aussi bien des vins du Languedoc-Roussillon, de Provence, du Sud-Ouest et du Val de Loire, que de la vallée du Rhône, de la Bourgogne et du Bordelais.

Ils ont pour nom corbières, fitou, saint-chinian, côteaux-du-languedoc, côtes-de-provence, bergerac, cahors, bourgueil, chinon, saumur-champigny, mais aussi côtes-du-rhône, crozes-hermitage, bourgogne-villages, côtes-de-blaye, etc., la liste étant loin d'être exhaustive.

Chacun d'entre eux a ses spécificités (cépage, terroir, ensoleillement, etc.) que l'on doit retrouver au moment de la dégustation.

De la syrah (appellations crozes-hermitage, faugères...), on retiendra ainsi la robe pourpre dense, au nez typé avec des notes de cacao et de café, des arômes de violette, d'iris et d'œillet, de fumé, de résine, et de mûre et de myrtille.

Des caractères que l'on ira chercher chez ses cousins espagnols, portugais ou néo-zélandais. Les valeurs sûres, les classiques, se cherchent en Bordelais et en Bourgogne. Osez les appellations moins connues, les vins des Côtes du Rhône et du Sud-Ouest, faites vos gammes.

❖ Les vins rouges puissants et racés

Des vins au sommet de leur art, portant haut leur complexité, leur équilibre, parvenus au terme d'un long processus de vieillissement, puissants, concentrés, racés... Ils se nomment margaux, saint-émilion, pauillac, saint-julien en Bordelais, gevrey-chambertin, vosne-romanée, nuits-saint-georges ou volnay en Bourgogne, châteauneuf-du-pape, côte-rotie et hermitage pour les vins des Côtes du Rhône. Leurs noms sont autant de légendes à découvrir. Il en est des plus ou moins accessibles, de plus ou moins grands.

Ces vins se servent à une température de 18 8C tout au plus pour les premiers, 16 8C pour les seconds. Ce sont généralement des vins de grande garde. Mais attention. Mieux vaut consommer un vin trop tôt que trop tard...

Un foie gras s'accordera à merveille avec bon nombre des grands crus du Bordelais ; les grands crus de Bourgogne appelleront une belle oie rôtie, une dinde aux marrons ou un civet de sanglier, également apprécié des grands côtes-du-rhône, à l'instar d'un lièvre à la royale.

❖ Les vins de garde

Ils sont divisés en deux groupes : vins de moyenne ou de longue garde. Quatre à huit ans pour les premiers et au-delà pour les autres. On trouve parmi eux les plus grands bordeaux et bourgogne. Ces vins affichent généralement un équilibre parfait entre alcool, acidité, sucres résiduels éventuels et amertume.

Ils ne s'ouvrent que par étape. On dit qu'ils sont fermés quand ils ne donnent pas tout leur potentiel. Leur longueur en bouche et leur ténacité sont des indices de grand tempérament.

Les vins de garde se démarquent également par le terroir dont ils sont issus, terroir qui leur donne un caractère particulier. Dans le cas du pomerol, un arôme de violette, ou bien concernant les condrieu, celui de la pêche. L'amateur recherche le moment où le vin sera à son apogée, épanoui, prêt à boire, avant qu'il n'entame son vieillissement. Les conditions de conservation sont un élément clé pour l'évolution d'un vin.

Sa couleur est un des signaux avant-coureurs du déclin. Les blancs secs perdent leur brillance et se parent d'or brun. Les vins rouges revêtent des nuances tuilées, brun orangé. Il est alors trop tard. La contre-étiquette donne parfois de précieuses indications quant à l'année optimale de consommation.

Achat
mode d'emploi

[Silhouettes et bouteilles]

L a forme de la bouteille est, en soi, une indication, avant même la lecture de l'étiquette. Elle peut déjà vous renseigner sur l'origine géographique de certains vins.

❖ De la bordelaise à la bourguignonne, une silhouette, un vin

La bordelaise se reconnaît à son col élevé et ses épaules très marquées, carrées, qui permettent, dans une certaine mesure, de retenir un dépôt éventuel. Autre élément d'identification, la couleur : verte pour les vins rouges et les blancs secs, blanche pour les blancs liquoreux et les rosés. Sa contenance traditionnelle est de 75 centilitres. Multipliez par deux et vous obtiendrez le magnum (1,5 litre). Doublez la mise, soit 3 litres, pour le double magnum.

Ajoutez un litre et demi pour un jéroboam (4,5 litres), l'équivalent de six bouteilles de 75 centilitres. Au sommet de cette hiérarchie trônent l'impériale (6 litres), huit bordelaises, le salmanazar (9 litres) et l'immense nabuchodonosor, une bouteille d'une contenance de 15 litres, soit vingt bouteilles de 75 centilitres...

En comparaison, du haut de ses 37,5 centilitres, la demi-bouteille fait figure de fillette...

Cette bouteille est la plus répandue, choisie par bon nombre d'appellations françaises de Loire (coteaux-du-layon), Provence (cassis, côtes-de-provence) ou Béarn (jurançon), et de vins étrangers.

La bourguignonne, généralement teintée d'une nuance dite feuille morte, présente un profil moins marqué, caractérisé par un fût plus court et des épaules tombantes et arrondies. Cette forme de bouteille est aussi utilisée dans la vallée du Rhône et de la Loire (teintée de vert) et par les producteurs de vins issus de cépages bourguignons comme le pinot noir, le gamay et le chardonnay.

La champenoise, réservée aux champagnes, s'inspire de cette ligne, mais son verre, couleur vert champagne, est plus épais. La flûte alsacienne, à corps droit, d'apparence cylindrique, est effilée. Sa forme a été reprise par des appellations de la vallée du Rhône (château-grillet, tavel) et de Savoie (crépy).

La flûte à corset est réservée à l'appellation côtes-de-provence.

Le clavelin
sans part des Anges

Certaines bouteilles ont des formes et des contenances originales. C'est le cas du clavelin et de ses 62 centilitres, seule bouteille autorisée pour le conditionnement du vin jaune des appellations jura. Large d'épaules, d'apparence trapue, elle est la digne héritière de l'ancienne « anglaise » encore en circulation au XIXe siècle. La légende veut que ces 62 centilitres correspondent, pour un litre de vin, au volume restant, une fois la part des anges envolée, après 6 ans et 3 mois de vieillissement (durée légale) minimum en fûts de chêne, sans ouillage (remise à niveau). Ce serait compter sans les caprices de dame nature, les pertes dues à l'évaporation pouvant atteindre 40 % du volume initial, voire plus pendant cette période d'élevage. La forme du clavelin a fortement influencé celle de la bouteille jura, d'une contenance de 75 centilitres, utilisée par les appellations jura, hors vin jaune bien évidemment.

Le vrac

Le vin peut aussi être stocké ou vendu en cubitainer, Bag-In-Box®, brique, bonbonne, bouteille en plastique, voire même canette. Ces différents conditionnements concernent des vins ordinaires ou de qualité moyenne, à boire plus ou moins vite.

Les principales appellations d'origine contrôlée (AOC-AOP + AO-VDQS-AOP)

Champagne

Champagne
Rosé des Riceys

Lorraine

Moselle
Côtes de Toul

Alsace

Alsace
Alsace Grand Cru
Crémant d'Alsace

Vallée de la Loire / Centre

Gros Plant du Pays Nantais
Muscadet
Anjou
Saumur
Haut-Poitou
Coteaux du Vendômois
Touraine
Vouvray
Vins de l'Orléanais
Quincy
Reuilly
Menetou-Salon
Sancerre
Pouilly-Fumé / Pouilly-sur-Loire
Coteaux du Giennois
Châteaumeillant
Savennières
Coteaux du Layon
Bourgueil
St-Nicolas-de-Bourgueil

Auvergne et Forez

Saint-Pourçain
Côtes d'Auvergne
Côte roannaise
Côte du Forez

Jura

Côtes du Jura
Arbois
Château-Chalon
L'Étoile

Vallée du Rhône

Côte Rôtie
Condrieu, Château-Grillet
Côtes du Rhône
Saint-Joseph
Hermitage, Crozes-Hermitage
Cornas, Saint-Péray
Clairette de Die, Châtillon-en-Diois
Côtes du Vivarais
Grignan-les-Adhemar (ex coteaux
de Tricastin)
Côtes du Rhône Villages
Rasteau, Gigondas,
Châteauneuf-du-Pape
Lirac, Tavel
Ventoux
Vacqueyras

Bourgogne

Bourgogne
Chablis
Côtes de Nuits et Côtes de Nuits Villages
Côte de Beaune et Côtes de Beaune-Villages
Mercurey, Mâcon
Beaujolais, Beaujolais Villages
Aloxe-Corton
Brouilly
Bonnes-Mares
Vosne-Romanée
Nuits-Saint-Georges

Savoie et Bugey

Vin de Savoie
Vin du Bugey
Crépy
Seyssel, Roussette de Savoie

Cognac et Pineau des Charentes

Cognac
Grande Fine Champagne
Grande Champagne
Petite Champagne
Borderies
Fins Bois
Bons Bois

Bordelais

Médoc
Haut Médoc
Listrac Médoc, Moulis
St-Estèphe, Pauillac, St-Julien
Margaux
Graves
Cérons, Barsac, Sauternes
Bordeaux
Premières Côtes de Bordeaux
Cadillac, Loupiac, Ste-Croix-du-Mont
Entre-deux-Mers, Graves de Vayres
Côtes de Blaye
Côtes de Bourg
Fronsac, Lalande-de-Pomerol, Pomerol,
St-Emilion, Lussac-St-Emilion, Bordeaux
Ste-Foy-Bordeaux

Armagnac

Armagnac
Bas-Armagnac
Ténarèze
Haut-Armagnac

Corse

Vin de Corse
Patrimonio
Corse Calvi, Corse Figari
Ajaccio
Corse Sartène
Corse Porto-Vecchio

Sud-Ouest

Montravel, Bergerac, Rosette,
Pécharmant, Saussignac,
Monbazillac, Côtes de Duras
Côtes du Marmandais
Buzet
Côtes du Brulhois
Cahors
Lavilledieu
Gaillac
Vins d'Entraygues
Vins d'Estaing
Marcillac

Béarn et vallée de l'Adour

Tursan
Madiran, Pacherenc du Vic Bilh
Irouléguy
Béarn
Jurançon

Languedoc et Roussillon

Banyuls (V.D.N.), Collioure
Rivesaltes (V.D.N.)
Maury (V.D.N.)
Muscat de St-Jean-de-Minervois (V.D.N.)
Muscat de Frontignan
Muscat de Mireval
Muscat de Lunel (V.D.N.)
Côtes du Roussillon
Fitou
Limoux
Malepère
Cabardès
Minervois
Corbières
Saint-Chinian
Picpoul de Pinet
Costières de Nîmes
Clairette du Languedoc
Faugères

Provence

Coteaux d'Aix-en-Provence
Palette
Côtes de Provence
Cassis, Bandol
Coteaux varois en Provence
Bellet
Les Baux-de-Provence

[Le jeu des appellations]

'INAO, l'Institut National de l'Origine et de la Qualité, est un établissement public administratif, sous tutelle du ministère de l'Alimentation, de l'Agriculture et de la Pêche. Cet organisme de contrôle préside aux destinées de ce qu'on appelle les signes d'identification de la qualité et de l'origine. Les plus connus d'entre eux sont le Label rouge et AB (agriculture biologique). Il en existe trois autres dont deux nous intéressent particulièrement, les appellations d'origine, AOC et AOP et les indications géographiques protégées (IGP). Osons la comparaison entre l'univers du vin et celui de la mode : la haute couture serait incarnée par les AOC-AOP et dans une moindre mesure par les AO-VDQS-AOP, les jeunes créateurs par les IGP, les vins de table figurant le prêt-à-porter. Les obligations imposées par le cahier des charges des uns et des autres sont en effet très différentes.

❖ Les AOC-AOP

Tous les grands vins français appartiennent à la catégorie « appellation d'origine contrôlée - appellation d'origine protégée ». L'AOC-AOP est l'expression d'un lien intime entre le vin et son terroir d'origine, ses caractères historiques et géographiques, géologiques et climatiques (aire de production délimitée à la parcelle de vigne, encépagement, conditions de production et pratiques culturales définies, parfois même conditions de vieillissement...).

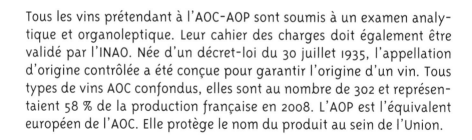

Tous les vins prétendant à l'AOC-AOP sont soumis à un examen analytique et organoleptique. Leur cahier des charges doit également être validé par l'INAO. Née d'un décret-loi du 30 juillet 1935, l'appellation d'origine contrôlée a été conçue pour garantir l'origine d'un vin. Tous types de vins AOC confondus, elles sont au nombre de 302 et représentaient 58 % de la production française en 2008. L'AOP est l'équivalent européen de l'AOC. Elle protège le nom du produit au sein de l'Union.

❖ Les AO-VDQS-AOP

Les AO-VDQS-AOP (appellation d'origine - vin délimité de qualité supérieur - appellation d'origine protégée) constituaient l'antichambre des vins AOC-AOP. Beaucoup ont longuement patienté avant d'accéder au saint des saints. Exemple d'un jeune promu, le saint-pourçain. La première demande d'appellation a été déposée en 1984. Elle a été obtenue vingt-cinq ans plus tard, en 2009... Les conditions de production des AO-VDQS-AOP (aire de production délimitée, encépagement, degré alcoolique minimal, rendement maximal, techniques culturales, normes analytiques et contrôle organoleptique) sont fixées par arrêté. On en dénombre encore dix-sept (moselle, côtes-d'auvergne, tursan...). Leur disparition est programmée d'ici au 31 décembre 2011. Elles devraient logiquement évoluer vers une reconnaissance en AOC-AOP ou un enregistrement en IGP.

❖ Les indications géographiques protégées (IGP), anciennement vins de pays

La France compte 141 indications géographiques protégées appelées, avant le 1er août 2009, vins de pays. Cette appellation reflète parfaitement la diversité des vignobles français. Elle regroupe des « vins de table à indication géographique », c'est-à-dire personnalisés par leur provenance géographique. L'IGP doit être issue de raisins récoltés et vinifiés dans la zone de production dont elle porte le nom. Ses conditions de production (encépagement, rendement maximum,

degré naturel d'alcool minimum et normes analytiques), fixées par un cahier des charges, feront l'objet d'un arrêté d'homologation. Ces vins de caractère, sans prétention excessive, parfaits au quotidien, peuvent aussi recéler de vraies bonnes surprises, à des prix hautement concurrentiels.

Voici quelques éléments clés qui vous permettront de retrouver votre chemin dans la jungle des IGP, divisées en trois grandes familles.

★ Les IGP (vins de pays) à dénomination régionale ou vins de pays régionaux. On en compte cinq : le vin de pays d'Oc (région Languedoc-Roussillon), le vin de pays Vallée de la Loire (région Val de Loire), le vin de pays Comté Tolosan (région Midi-Pyrénées), le vin de pays Comtés rhodaniens (région Rhône-Alpes) et le vin de pays Méditerranée.

★ Les IGP à dénomination départementale (vin de pays Var, vin de pays Landes, vin de pays Franche-Comté, Haute-Marne...) sont au nombre de cinquante-deux.

★ Dernier groupe et pas des moindres, celui des IGP à dénomination de petite zone, cette dernière pouvant correspondre à un ou plusieurs cantons, à une vallée ou une commune. On en recense actuellement 94 dont 57 pour le seul Languedoc-Roussillon. Entrent dans cette catégorie le vin de pays des Maures, des Côtes de Thongue, le vin de pays Coteaux de Fontcaude, des Alpilles...

On trouve également dans la grande famille des IGP, les vins de pays primeurs ou nouveaux, des vins généralement fruités et gouleyants. Appartiennent à cette catégorie les vins de pays d'Oc, des Côtes de Gascogne, de la vallée de la Loire ou de l'Île de Beauté pour ne citer qu'eux, commercialisés sous les mentions primeur ou nouveau. Leur cahier des charges est le même que celui des vins de pays, si ce n'est deux conditions supplémentaires. La date de mise à la consommation est fixée au troisième jeudi du mois d'octobre suivant la récolte (les vins d'appellation primeur sortent un mois plus tard). L'étiquette doit mentionner leur caractère, primeur ou nouveau, et leur millésime.

❖ Les vins de table

Il s'agit généralement de vins d'assemblage qui doivent titrer au moins 8,58. La dénomination est « vin de table français » s'ils sont d'origine exclusivement française, issus d'une même région ou de régions différentes. La dénomination « mélange de vins de différents pays de la Communauté européenne » concerne un assemblage de vins originaires de plusieurs pays de l'Union européenne. Les coupages avec des vins provenant de pays extérieurs à l'Union sont interdits. Ils sont généralement commercialisés sous des noms de marque comme Vieux Papes. Quoi qu'il en soit, n'en attendez pas de miracle.

Hémisphère Nord, hémisphère Sud

Concernant les vins de l'Union européenne, depuis le 1er août 2009, la nouvelle organisation commune du marché du vin distingue deux catégories : les vins sans indication géographique, *vino da tavola* italien, *vino de mesa* en Espagne, *tafelwein* en Allemagne, et les vins avec indication géographique, AOP, *denominación de origen* espagnole, *qualitätswein mit Prädikat* allemand, et IGP, *vino de la tierra*, *landwein*, etc.

Quatre règles assez simples président aux destinées des vins du Nouveau Monde. Si l'étiquette mentionne une origine, au moins 80 % du raisin doit en provenir. Un vin de cépage doit être issu à 85 % du cépage indiqué. Lorsqu'il est fait état d'un millésime, le vin concerné doit contenir au moins 95 % du millésime cité.

Et pour finir, si plusieurs cépages sont signalés, le cépage dominant doit l'être le premier, et ainsi de suite, par ordre décroissant. La législation américaine est assez proche, sachant que la majorité des vins des États-Unis sont des vins de cépage.

[Étiquettes et capsule-congé : comment les lire]

Au moment de l'achat d'un vin ou d'un champagne, la lecture de l'étiquette est un passage obligé. Carte d'identité mais aussi élément de traçabilité, elle comporte des mentions obligatoires et d'autres facultatives qui doivent vous aider dans votre choix. Elle est aussi, en dehors de la notoriété d'un nom, le premier lien qui vous unit au vin, petit bout d'influence qui peut vous entraîner loin.

❖ Les mentions obligatoires sur l'étiquette

L'étiquette française fait l'objet d'une réglementation très stricte. En premier lieu, doit y figurer la dénomination catégorielle : nom de l'AOC-AOP et la mention appellation d'origine contrôlée ou appellation contrôlée, de l'AO-VDQS ou de l'IGP et de son unité géographique. À cela s'ajoutent le nom ou la raison sociale de l'embouteilleur, le degré d'alcool, le volume exprimé en litre(s), centilitres ou millilitres, les indicatifs allergènes éventuels (sulfites), le message sanitaire à destination des femmes enceintes et le pays d'origine en cas d'importation.

❖ Les mentions facultatives sur l'étiquette

Le millésime ne peut figurer que si 85 % minimum du volume est issu de l'année indiquée. Il en est de même pour les cépages. Le mode d'éle-

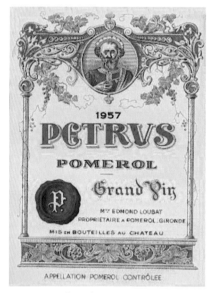

vage (fûts de chêne), les médailles et autres distinctions ainsi que certaines mentions complémentaires (cru bourgeois, cru classé, château, domaine, marque commerciale) sont facultatives, ainsi que les représentations réalistes ou stylisées dudit château ou domaine, etc.

Liste à laquelle il faut ajouter le lieu de mise en bouteille bien que la mention soit systématiquement portée par les vins AOC.

La mention de ces éléments ou celle du numéro de bouteille, des indications grand vin de Bordeaux, cuvée prestige, vieilles vignes, etc., ne sont pas forcément synonymes de vin de qualité. Ce sont essentiellement des arguments marketing, utilisés pour séduire le consommateur.

❖ La contre-étiquette

Apposée à l'arrière de la bouteille, la contre-étiquette peut apporter de précieux renseignements à l'amateur averti ou en mal d'informations sur les cépages assemblés, les arômes, le temps de garde, la température optimale de consommation.

Elle est aussi, avec l'étiquette, un argument publicitaire de choc, fait pour attirer.

❖ Champagne, le jeu des initiales

Outre la mention « champagne », l'étiquette d'un champagne doit porter le nom de la marque, le type de vin et son dosage en sucre — extra brut, brut, extra dry, sec, demi-sec, doux —, le volume contenu dans la bouteille et deux petites initiales précisant le statut du « créateur » du vin.

❖ En savoir plus... Cherchez les initiales

• NM pour négociant-manipulant

Maison de négoce, société (maison de Champagne) ou propriétaire de vignoble qui achète, en Champagne, tout ou partie des raisins nécessaires à l'élaboration de ses cuvées.

• RM pour récoltant-manipulant

Il s'agit d'un vigneron qui élabore lui-même son champagne et le commercialise.

• CM pour coopérative de manipulation

À partir du raisin des vignerons adhérents, la coopérative élabore le vin qu'elle vend ensuite à des négociants ou qu'elle commercialise sous sa propre marque.

• MA pour marque d'acheteur ou auxiliaire

Vin, dont l'origine est NM, RM ou CM, personnalisé par un restaurateur, un caviste ou une chaîne de magasins.

• RC pour récoltant-coopérateur

Vigneron qui travaille ses vignes et récolte le raisin, mais n'élabore pas son vin. L'élaboration du champagne est réalisée par une coopérative à laquelle le vigneron rachète le produit fini, une fois en bouteille, et sur laquelle il appose son étiquette.

• SR pour société de récoltants

Association de vignerons qui assure la commercialisation de son champagne.

❖ La capsule-congé dévoilée

La capsule CRD (capsule représentative de droit) est une capsule-congé ornée d'un sceau (Marianne). Elle indique que les droits sur l'alcool ont été acquittés auprès de la direction générale des douanes et droits indirects (DGDDI). Elle en autorise la circulation et la commercialisation sur le territoire français.

La capsule-congé comporte des mentions obligatoires. Le premier numéro, à deux chiffres, fait référence au département de production. La lettre informe sur la qualité de l'embouteilleur, R pour récoltant, N pour négociant et E pour éleveur.

Le second numéro est le numéro d'agrément de l'embouteilleur. Les mentions République Française et D.G.D.D.I. ainsi que la contenance de la bouteille apparaissent autour de Marianne.

Verte, la capsule indique un vin tranquille ou mousseux en AOC ou AO-VDQS ; si elle est bleue, il s'agit d'une IGP (vin de pays) ou d'un vin de table. La capsule orange désigne les vins spéciaux, vin doux naturel ou vin de liqueur, si elle est jaune, il s'agit de cognac et d'armagnac. Le rouge signale un rhum agricole des D.O.M., le gris d'autres produits intermédiaires comme le ratafia, et le blanc, les autres alcools du commerce.

Authenticité et qualité

Q u'un viticulteur procède à l'élaboration de son produit et le commercialise, démarche attestée par la présence sur l'étiquette de la mention (facultative) « mis en bouteille au château », associée à la capsule congé marquée du R pour récoltant ou du E pour éleveur, est un gage d'authenticité, mais pas une garantie absolue de qualité.

Un bon vigneron ne fait pas toujours un bon vinificateur et éleveur. Et inversement, un vin de négociant, reconnaissable à l'initiale N portée sur la capsule-congé, n'est pas forcément à dédaigner et peut même être un très grand vin.

Le négociant-récoltant peut acheter chez des propriétaires voisins des raisins ou des vins finis, tout en cultivant ses vignes et en procédant à la vinification, l'élevage et l'embouteillage de ses propres vins, les deux produits étant parfaitement identifiables. Les noms de certains négociants sont devenus des marques à part entière, gages de qualité comme Étienne Guigal et Chapoutier, pour les vins des Côtes du Rhône, Louis Jadot et Joseph Drouhin en Bourgogne, Georges Dubœuf dans le Beaujolais et André Lurton pour les vins de Bordeaux.

[Acheter un vin, où et pourquoi ?]

cheter un vin est un exercice relativement facile. Mais le choisir relève parfois de la haute voltige. Si cette discipline vous est étrangère, gare aux chutes et aux déceptions qu'elles peuvent engendrer. Mettez toutes les chances de votre côté, préparez-vous. Apprenez à découvrir les vins que vous aimez (voir chapitre 3), le but premier étant de se faire plaisir. Ensuite, informez-vous, ne partez pas à l'aveuglette. Vous serez, dans certains cas, livré à vous-même. La lecture des guides et magazines spécialisés (et leur équivalent sur le net) peut constituer un bon point de départ. Ensuite, n'oubliez pas, votre goût prime tout le reste.

❖ Le prix d'achat

On peut acheter un vin très cher. Le prix d'une bouteille de Château Haut-Brion, un des plus grands vins du monde, AOC pessac-léognan, premier grand cru classé, millésime 2004, avoisine les 300 euros. Mais aussi trouver d'excellentes bouteilles à des tarifs plus raisonnables. Le château-la-tour-haut-brion 2004, cru classé, second vin du château Haut-Brion, oscille entre 38 et 46 euros. Il existe également des vins d'un bon rapport qualité-prix. Pour un château-la-louvière rouge 2005 (André Lurton), AOC pessac-léognan, comptez entre 23 et 30 euros, dans le cas d'un château-gazin-rocquencourt 2005, 15 à 23 euros. Pour un domaine-de-grandmaison 2004, toujours en AOC pessac-léognan, il vous en coûtera « seulement » entre 8 et 11 euros. Sachant que ces différentes bouteilles sont des vins de garde qui se révéleront pleinement dans huit à dix ans...

❖ Grande distribution et foires aux vins

Plus de 70 % des ventes de vin sont réalisées par les grandes enseignes. Cavistes et producteurs ne représentent qu'une part infime du marché, moins de 10 % pour les premiers et 6 % pour la vente directe. Avantage des grandes surfaces, elles proposent un large éventail de vins, des plus simples aux crus les plus réputés, à des prix souvent avantageux. Néanmoins, le pire et le meilleur cohabitent. Des linéaires surchauffés, la lumière crue des néons, des alignements de bouteilles verticales qui prennent ainsi moins de place... Dans ce cas, le rayon vin n'a rien à envier à celui des lessives et des couches-culottes.

Mais on y trouve aussi des « caves » aménagées, fraîches, aux lumières tamisées, isolées du brouhaha ambiant. Elles sont souvent dotées d'une armoire à vin fermée à double tour, où séjournent, dans des conditions optimales, les crus les plus prestigieux. Si, dans le premier cas, l'acheteur est livré à lui-même, il peut parfois bénéficier, dans le second, des conseils avisés d'un vendeur spécialisé.

Foires aux vins
et bonnes affaires

es foires aux vins sont le rendez-vous de l'année, aussi bien pour le consommateur que les grandes enseignes. Le premier peut y trouver des vins haut de gamme à des prix vraiment intéressants. Mais la concurrence est rude, ces bouteilles prestigieuses, en quantité limitée, étant très recherchées et vite épuisées. Premiers arrivés, premiers servis... Les foires sont aussi l'occasion de découvrir des vins moins connus, d'un bon rapport qualité-prix, sélectionnés par les acheteurs des

enseignes elles-mêmes. Autre avantage, à cette occasion, nul n'est tenu d'acheter une caisse, à savoir 6 ou 12 bouteilles. La « casse des caisses » permet d'éviter celle de sa tirelire.

S'agissant de la grande distribution, ces ventes représentent près de 10 % de leur chiffre d'affaires annuel dans le domaine des VQPRD (vins de qualité produits dans des régions déterminées), à savoir AOC et AO-VDQS. Les foires, programmées entre début septembre et mi-octobre (attention, les dates diffèrent selon les lieux), durent en moyenne une dizaine de jours. Chaque grande enseigne édite à cette occasion un catalogue national, disponible également sur son site internet, généralement complété par une sélection régionale, les vins de Bordeaux restant les plus représentés. Mieux vaut comparer les offres, les prix et les millésimes et s'armer d'un guide pour trouver son chemin dans le maquis des vins proposés.

❖ Acheter chez un caviste

Indépendant ou franchisé, le caviste est souvent un interlocuteur compétent, passionné et de bon conseil, prenant en compte les goûts et les attentes de ses clients, et partageant avec eux ses « découvertes ». La gamme des prix est assez large. Chacun peut y trouver une bouteille adaptée à son budget.

C'est un bon moyen de faire le tour de France des régions viticoles et de tester des appellations plus anonymes que saint-émilion ou vosne-romanée. Mais le lieu n'est pas forcément idéal pour constituer sa cave car pratiquant des tarifs forcément plus élevés que le producteur et la grande distribution.

❖ Acheter à la propriété

Pour juger un vin, mieux vaut le goûter et connaître son terroir d'origine. Ce que permet généralement la visite chez un producteur, viticulteur ou négociant. Mais attention, gardez la tête froide, dégustez avec modération et n'achetez que le vin que vous aimez, dans le millésime que vous avez goûté. La route des vacances peut ainsi se transformer en route des vins.

Les offices de tourisme des régions viticoles proposent un large éventail d'offres : découverte des caves, stages œnologiques, routes et circuits touristiques des grands crus, etc.

❖ Acheter dans une cave coopérative

Les caves coopératives commercialisent les vins de leur région, AOC ou AO-VDQS, mais surtout vins de pays et vins de table. Les CC représentent plus de la moitié de la production vinicole française, essentiellement des vins de consommation courante.

Pour un vin de qualité comparable, leurs prix sont souvent imbattables. Il est aussi très facile de s'y fournir en vin en vrac ou en Bag-In-Box®.

Elles gèrent le processus de vinification, l'élevage, l'embouteillage et la commercialisation des vins élaborés à partir des raisins achetés à leurs adhérents, au nombre d'une centaine pour certaines caves. Différence essentielle avec le négoce, une coopérative ne peut pas refuser d'acheter la vendange de ses coopérateurs. Elle peut simplement la payer moins chère, en fonction de l'état sanitaire du raisin et de son degré d'alcool. Certaines caves coopératives vinifient de très gros volumes.

Globalement, la qualité des vins produits s'est largement améliorée ces dernières années. Certaines caves travaillant même dans l'excellence comme la cave des vignerons du Pays basque avec l'irouléguy, la cave de Crouseilles et le pacherenc-du-vic-bilh, le Cellier des demoiselles, cave coopérative de l'Aude, en AOC corbières ou la cave des vignerons de Pfaffenhein en Alsace, entre autres.

❖ Les foires et salons spécialisés

Il faut aimer la foule et les grandes messes. Ces foires, foires-expositions et salons rassemblent généralement un grand nombre de producteurs venus de toutes les régions viticoles françaises. On peut y découvrir d'excellents produits.

Délaissez le gobelet en plastique de dégustation pour un verre digne de ce nom.

Le meilleur moment pour cet exercice est plutôt le début de matinée, les stands étant généralement pris d'assaut pour l'apéritif.

Les tarifs pratiqués n'y sont forcément pas les plus intéressants, le coût de l'opération se répercutant généralement sur le prix des bouteilles.

Quelques grands rendez-vous

* Le salon international de l'Agriculture, Paris, en mars.
* Le salon des vins des vignerons indépendants, Bordeaux, en mars.
* Le salon des vins, Mâcon, en avril (associé au concours des grands vins de France).
* La foire aux vins d'Alsace, Colmar, en août.

❖ Acheter en primeur

Cette forme de vente, qui concerne essentiellement les châteaux bordelais, reprend le principe de la souscription.

À savoir, acquérir un vin avant qu'il ne soit élevé et embouteillé, vin qui, en principe, coûtera beaucoup plus cher au moment de sa commercialisation, dix-huit mois à trois ans plus tard.

Les crus concernés sont mis sur le marché le printemps qui suit la récolte.

Avantages, le producteur améliore ainsi sa trésorerie en vendant son vin plus tôt et l'acheteur a accès à de bonnes bouteilles sans (trop) se ruiner. Seul problème, personne ne sait comment évoluera le vin lors de son élevage.

Mieux vaut donc privilégier les valeurs sûres, les grands crus et grandes années. Problème : de nombreux millésimes ont été surévalués et leurs acheteurs ont de plus en plus souvent la mauvaise surprise de constater que leurs bouteilles coûtent moins cher chez un caviste ou dans les foires aux vins que celles qu'ils ont achetées en primeur...

❖ Acheter dans une vente aux enchères

Exercice relativement rare et réservé aux connaisseurs, l'achat dans une vente aux enchères est idéal pour l'amateur à la recherche de vieux millésimes. Seuls bémols, il est difficile de connaître les conditions de conservation des bouteilles et les frais de vente sont importants (17 à 20 %). Plongez-vous pour l'occasion dans une bible comme *La cote des grands vins de France 2010*, « l'argus des vins », qui vous permettra de connaître le cours des vins mis aux enchères. Si vous emportez la mise en dessous des estimations indiquées, c'est une bonne affaire...

❖ Acheter sur internet

Pratique et sans bouger de chez soi... On peut s'adresser directement au producteur en l'ayant soigneusement sélectionné au préalable en fonction de ses goûts et des critiques, via son site web. Inconvénients : une sélection à l'aveugle et des frais de transport plus ou moins importants.

On peut aussi passer par un site spécialisé et ses sélections. Nombreux se sont attachés les services d'œnologues ou sommeliers réputés :

www.wineandco.com
www.chateauonline.com
www.ventealapropriete.com

[La conservation des vins]

Premier point, le vin ne supporte pas la lumière, pas plus que la chaleur et les écarts de température ou le voisinage d'odeurs fortes. Cela vaut aussi bien pour le placard dans lequel vous entreposez sommairement vos bouteilles que pour une cave traditionnelle. Second point, ces dives bouteilles doivent enfin être rangées à l'horizontale.

Enfin, dernier élément et pas des moindres, inutile d'investir dans des vins de grande garde si vous ne disposez pas du lieu adéquat pour les conserver. À défaut d'une cave, il existe des armoires à vin très performantes et tout aussi onéreuses.

❖ La cave idéale

Commençons par le sol. Celui de la cave idéale est en terre battue, ce qui lui assure une humidité constante, le taux d'hygrométrie devant osciller entre 70 et 80 %. Un air trop sec dessèche les bouchons et favorise ainsi l'oxydation des vins. Si le sol est en béton, étalez un mélange de gravier et de sable et arrosez-le régulièrement.

Inversement, une humidité excessive pourra être compensée par une couche de mâchefer. La cave doit être également bien ventilée et l'air régulièrement renouvelé pour éviter les odeurs de renfermé et de moisi.

Mais attention aux courants d'air. Les murs doivent être exempts de moisissures. Un badigeon de chaux vive est fortement conseillé.

Une fois la lumière éteinte (de préférence un éclairage indirect), la cave doit être plongée dans l'obscurité. Le vin supporte très mal les

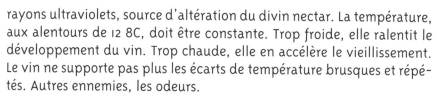

rayons ultraviolets, source d'altération du divin nectar. La température, aux alentours de 12 8C, doit être constante. Trop froide, elle ralentit le développement du vin. Trop chaude, elle en accélère le vieillissement. Le vin ne supporte pas plus les écarts de température brusques et répétés. Autres ennemies, les odeurs.

Elles peuvent dénaturer un vin. Sont proscrits dans son voisinage les pommes de terre, oignons, ails, poireaux, choux, mais également les fruits frais (coing, melon, etc.), tout ce qui ressemble de près ou de loin à un pot de peinture, bidon d'huile, d'essence et autres produits chimiques. Inutile de préciser que la chaufferie et son cocktail d'odeurs, de chaleur et de vibrations, est le dernier endroit où garder son vin.

❖ L'armoire à vin

La plupart des armoires à vin ressemblent à de gros réfrigérateurs. Leur capacité de stockage est variable : 50 bouteilles pour les plus modestes, 600 pour les plus imposantes.

Les modèles se classent en deux grandes catégories. Les moins coûteux sont à température unique — le pendant de la cave idéale (température, hygrométrie, obscurité...). Les autres peuvent être équipés de deux ou trois thermostats, un pour réguler la température, un autre pour le compartiment à champagne et le dernier pour la mise à température avant dégustation des champagnes et vins blancs. Les armoires à vin sont généralement dotées de porte anti-UV, parfois de filtre à charbon anti-odeur,

avec système anti-vibration et anti-bruit. Pour une cinquantaine de bouteilles, comptez 850 à 1 300 euros, et pour environ deux cents bouteilles, 1 300 à 1 900 euros.

❖ Constituer sa cave

Une cave se constitue petit à petit, selon son budget, en fonction de son profil, amateur averti ou pas. Tous les vins n'ont pas le même usage, des repas entre amis, en famille aux dîners intimes, etc. Votre style de vie est également à prendre en compte, sans oublier, bien sûr, vos goûts personnels. À savoir, quels vins aimez-vous ? Autre élément non négligeable, la place dont vous disposez...

❖ La cave "idéale"

La cave de soixante bouteilles d'un amateur peu averti :

★ 14 rouges légers : 6 beaujolais, 2 touraines, 2 chinons, 2 côtes-du-rhône, 2 saint-pourçain.

★ 12 rouges corsés : 4 bourgognes, 4 bordeaux, 4 côtes-du-rhône.

★ 7 rosés : 3 côtes-de-provence, 2 bordeaux clairets, 2 bandols.

★ 11 blancs légers secs/fruités : 4 muscadets, 2 mâcons blanc, 2 cassis, 2 sancerres, 1 premières-côtes-de-blaye.

★ 8 blancs secs et intenses : 3 graves, 2 rieslings, 2 chardonnays, 1 chablis.

★ 3 blancs moelleux : 1 alsace sélection de grains nobles, 1 coteaux-du-layon, 1 muscat de Beaumes-de-Venise.

★ 5 vins effervescents : 3 champagnes, 1 clairette-de-die, 1 crémant-d'alsace.

Soit un budget d'environ 780 euros, avec une moyenne de 13 euros par bouteille. Vins à consommer rapidement et de petite garde. Pour affiner votre goût, faites des achats répétés à l'intérieur d'une même appellation.

La cave de deux cents bouteilles d'un amateur averti :
* ★ 48 rouges corsés : 16 bordeaux, 12 bourgognes, 12 côtes-du-rhône, 8 languedocs.
* ★ 42 rouges légers : 12 beaujolais, 8 chinons, 6 côtes-du-rhône, 6 bourgueils, 6 côtes-de-provence, 2 saint-pourçain.
* ★ 21 rosés : 10 côtes-de-provence, 6 bandols, 5 bordeaux clairets.
* ★ 35 blancs légers secs/fruités : 12 mâcons blanc, 10 cassis, 8 muscadets, 5 sancerres.
* ★ 26 blancs secs et intenses : 8 bourgognes, 8 graves, 4 rieslings, 2 chardonnays, 4 côtes-du-rhône.
* ★ 9 blancs moelleux : 4 alsaces sélection de grains nobles, 3 sauternes, 1 coteaux-du-layon, 1 muscat de Beaumes-de-Venise.
* ★ 14 vins effervescents : 10 champagnes, 2 clairette-de-die, 2 *asti spumante*.

Soit un budget d'environ 2 700 euros. À la liste précédente s'ajoutent les vins de grande garde qui peuvent constituer l'ossature de la cave.

❖ Ranger sa cave

Première chose, les bouteilles se rangent horizontalement, goulot vers le fond pour pouvoir lire plus facilement l'étiquette.

Casiers en béton allégé, en bois, métalliques ou en terre cuite sont parfaitement adaptés à l'exercice qui ne doit pas se transformer en numéro d'équilibriste. Bannissez de votre cave les caisses ou cartons en équilibre instable et les empilements approximatifs. Surélevez légèrement le premier niveau.

Classez d'abord les vins par couleur, les rouges avec les rouges, etc. Sachez que les blancs et les rosés apprécient d'être près du sol pour profiter de sa fraîcheur.

Ensuite, procédez par affinités : d'abord la région de production, ensuite l'appellation et pour finir le millésime. N'oubliez pas les étiquettes.

Le livre de cave

Voici un outil indispensable, le carnet de bord de la cave. Mis à jour régulièrement, à chaque entrée et sortie de bouteilles, il vous permettra de connaître à tout instant l'état de votre stock, le nombre de bouteilles, les évolutions de vos achats, etc. Vous pouvez aussi annoter vos remarques : aptitude du vin à vieillir, année vraisemblable d'apogée, notes de dégustation, notes d'accord, etc.

❖ S'informer : les guides et revues spécialisés

Il y a les incontournables, les guides des vins qui, année après année, millésime après millésime, notent et argumentent et que l'on retrouve désormais sur le web.

Et puis il y a encore et toujours, les magazines gastronomiques qui sont également des mines d'informations régulières.

• Les guides

Trois guides font en France la réputation d'un vin. *Le guide Hachette des vins* (Hachette pratique), « guide d'achat de référence », 25 ans d'existence, est le premier d'entre eux, réédité année après année,

36 000 vins dégustés, 10 000 retenus et commentés, de découvertes en étoiles et coups de cœur. Il se distingue notamment par sa rubrique bon rapport qualité-prix. On trouve ensuite le *Grand guide des vins de France* (Minerva), de Bettanne et Desseauve, 60 000 vins testés. Les plus grands vins français s'y retrouvent. La sélection est sévère, les prix aussi. Le *Guide Parker des vins de France* (Solar) est célèbre pour sa notation sur cent (suivant en cela le système de notation américain), ses 7 300 vins présentés et la personnalité de son auteur, l'américain Robert Parker, accusé par ses détracteurs de contribuer à l'uniformisation des vins.

• Les revues spécialisées

Il est difficile d'établir une liste exhaustive des magazines qui parlent du vin. Consultez différentes revues avant d'arrêter votre choix sur tel ou tel titre. N'hésitez pas à multiplier les points de vue et à recouper les informations entre plusieurs sources, journaux, guides, sites web et points de vue d'amateurs éclairés.

Parmi les revues, citons *Cuisine et vins de France*, le magazine *Gault & Millau*, *La revue du vin de France*. De nombreux magazines généralistes comme *Le Nouvel Observateur* ou *L'Express* publient régulièrement des suppléments consacrés aux vins. Idem pour la presse quotidienne, du *Monde* en passant par *Le Figaro*.

À suivre également la revue *UFC Que Choisir* et ses enquêtes et tests comparatifs sur les vins.

De l'art de
déguster un vin

[Les outils de la dégustation]

D u tire-bouchon à la carafe, en passant par les verres ou même le thermomètre, ces outils et accessoires sont indispensables à la dégustation d'un vin.

❖ Le tire-bouchon

Retirer un bouchon ne doit pas devenir une épreuve de force. Le mieux : choisir un tire-bouchon simple et efficace. Le Screwpull® est de ceux-là. Ses caractéristiques : une longue mèche de très bonne qualité, au fil assez fin, en queue-de-cochon, c'est-à-dire vrillée autour d'un axe virtuel et un corps tubulaire qui prend appui sur le goulot de la bouteille grâce à deux pattes.

Il suffit ensuite d'enfoncer la vrille et de visser toujours dans le même sens à l'aide de la poignée tournante. Le bouchon remonte seul et sans effort. Le plus difficile : ne pas égarer le coupe-capsule qui l'accompagne. On peut lui préférer le classique tire-bouchon en T, mais son usage est parfois synonyme de douloureux et violents efforts. C'est, il est vrai, un très bel outil de collection qui brille par la diversité de ses formes et les matières

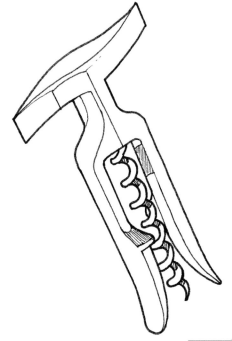

utilisées. Le couteau de sommelier, avec coupe-capsule intégré, à un ou deux crans d'appui, a aussi ses adeptes mais il demande un minimum de pratique. Enfin, quand d'expérience vous savez que vous avez affaire à un bouchon en mauvais état, optez pour un bilame qui se glisse entre le bouchon et le col.

L'adhérence du bouchon au verre est ainsi réduite et autorise l'extraction. L'exercice requiert une certaine pratique, mais évite de détériorer le bouchon et de faire tomber des particules de liège dans le précieux nectar.

Ras la capsule !

C'est peut-être le plus compliqué : découper proprement la capsule, qu'elle soit en aluminium ou en plastique, c'est-à-dire sans l'arracher en partie ou la transformer en côte dentelée. Le lieu de l'opération : juste sous la bague du col de la bouteille, environ un centimètre au-dessous du goulot. Attention, le vin ne doit pas entrer en contact avec la capsule, d'autant plus si elle est en métal. Ne pas oublier d'essuyer le goulot et le dessus du bouchon avec un chiffon pour éliminer les impuretés et les éventuelles moisissures, avant de passer à l'opération suivante : l'extraction...

❖ La carafe

La carafe est utile avant d'être décorative. Son objet est d'aérer un vin. On peut préférer le cristal au verre, cela ne changera rien à l'usage qui lui est dévolu : mettre en valeur les vins rouges. On la choisit de préférence transparente. Sa contenance doit être au moins de 130 centilitres. De l'usage que l'on veut en faire dépend sa forme. Très évasée, fond large, on la réservera aux jeunes vins tanniques. Dans ce cas, inutile de prendre trop de précaution. On peut bousculer le vin, renverser la bouteille à la verticale et le laisser s'écouler avec force remous et bouillonnements. Cette mise en carafe brutale permet d'oxygéner les jeunes vins afin qu'ils expriment tout leur potentiel, libèrent leurs arômes et s'assouplissent. On peut ainsi les laisser s'aérer une petite heure avant de les servir. Attention, ce genre de traitement ne s'applique pas à tous les vins. Dans la majorité des cas, une fois la bouteille débouchée, le goulot collé sur le bord de la carafe, on fait délicatement glisser le vin le long de la paroi, pour une aération lente. On peut aussi préférer à l'aération en carafe l'usage de grands verres. De forme galbée, ils seront idéaux pour des vins rouges peu tanniques comme les bourgognes et les châteauneuf-du-pape. De forme allongée (type olive), on les réservera à la dégustation de vins rouges charpentés.

Aérer n'est pas décanter

Mettre en carafe un vin et le faire décanter sont deux choses très différentes. Lors du vieillissement en bouteille, des dépôts de matières solides se forment, généralement composés de tanins et de pigments colorés, dans le cas des vins rouges, et d'acides tartriques en ce qui concerne les blancs. Leur présence est sans conséquence sur la qualité du vin. Mais ils sont disgracieux et désagréables en bouche. Le décantage consiste à séparer ces dépôts du vin. On peut soit utiliser un filtre lors de la mise en carafe, soit verser délicatement le contenu de la bouteille jusqu'à ce que la lie se présente au goulot.

Pour de vieux millésimes, le décantage doit être pratiqué avec prudence et de préférence, juste avant de servir. On privilégiera une carafe haute, de faible diamètre, pour éviter que le vin ne soit en contact avec l'air. Dans le cas de très vieux vins, donc très fragiles, préférez le service de la bouteille en panier. Versez sans à-coups, lentement, pour que le dépôt reste en fond de bouteille.

❖ Les verres à vin

Les verres de dégustation, très techniques, n'ont pas forcément leur place sur la table d'un dîner, d'un repas de famille ou entre amis. Mais certaines de leurs caractéristiques peuvent être reprises, notamment la transparence et la finesse.

À défaut de se lire, la robe d'un vin s'apprécie. *Exit* donc les verres épais, colorés ou travaillés. La simplicité et la légèreté sont de mise.

Ainsi qu'une jambe séparant le pied du corps pour les tenir. À vous ensuite de faire votre choix, en fonction du budget dont vous disposez et de vos goûts.

Le cristal est brillant, soyeux, mais cher. On peut privilégier dans un premier temps un verre dit universel, élancé, légèrement ventru, se resserrant vers le sommet, adapté à tous les types de vin, blanc, rouge, bordeaux, bourgogne, etc.

Ensuite, quand vous serez plus sûr de vos goûts, rien ne vous empêche d'investir dans les verres *ad hoc*, verre à tulipe pour le bordeaux, verre à vin d'Alsace pour magnifier les vins blancs, verre à bourgogne, etc.

Concernant le service, qui se fait par la droite, inutile de remplir le verre. Le tiers ou la moitié de la hauteur suffit. L'espace restant retient prisonnier les arômes du vin et permet ainsi de les savourer pleinement.

De l'entretien des verres à vin

Attention aux mauvaises odeurs, celles laissées par le lave-vaisselle, un torchon humide, ou bien encore par le meuble dans lequel les verres sont rangés, cire d'abeille et térébenthine étant proscrites. De la même façon, mieux vaut éviter les détergents. Lavez les verres à l'eau chaude et laissez-les sécher, sans les essuyer ou alors utilisez un torchon sec et propre, en lin.

❖ Les verres à champagne

Reine de la Belle Époque, la coupe n'a plus la cote. On lui préfère la flûte, sa longueur qui favorise la présence et la qualité des bulles, ses formes légèrement évasées qui limitent une déperdition trop rapide du gaz carbonique sans oublier un léger galbe qui permet de mieux apprécier les arômes du champagne. Quant au service, faites en sorte qu'il soit lent et régulier afin de favoriser la formation d'un cordon de bulles. En deux temps, c'est encore mieux.

❖ Le thermomètre

On peut ne pas apprécier la vision d'un thermomètre dans son verre ou dépassant du goulot d'une bouteille, même si l'exercice est fort louable, puisqu'il permet de connaître la température du vin et d'éviter ainsi de le servir trop chaud ou trop frais.

On peut alors opter pour le thermomètre bracelet à écran digital, qui se fixe sur le corps de la bouteille et qui en donne presque instantanément la température.

Attention à ne pas confondre thermomètre et vinomètre. Ce dernier mesure la teneur en alcool d'un vin ou du moût.

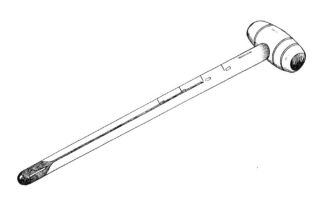

[Le service]

Pour apprécier toutes les qualités d'un vin, il est important de le servir à bonne température. Cette dernière varie en fonction du type de vin, rouge ou blanc, de son âge et de son origine. Globalement, en dessous de 6 8C et au-delà de 20 8C, le vin perd son potentiel aromatique. Il peut même devenir imbuvable. En résumé, le froid diminue l'acidité (idéal pour certains vins blancs) et augmente la présence des tanins. Et inversement, une trop grande chaleur pousse le caractère « alcooleux » de certains vins. Sachez enfin qu'il n'y a pas une mais des températures idéales. Car étant affaire de goût, elles sont forcément subjectives…

❖ La température de service des vins rouges

Plus les vins sont opulents et tanniques, plus élevée sera la température de service. Trop fraîche, elle les casse, bride leurs arômes et leur donne un aspect serré et métallique assez désagréable.

Les vins de caractère se servent à une température maximale de 18 8C. Les bordeaux s'apprécient à une température de 17 8C, les bourgognes et côtes-du-rhône entre 15 et 16 8C.

Les jeunes vins rouges et les primeurs peuvent être servis plus frais, à 13 ou 14 8C.

Chambrer ou pas

La température idéale d'une cave étant comprise entre 12 et 16 °C, il manque parfois quelques degrés avant de parvenir à la température de dégustation souhaitée pour nombre de vins rouges. Chambrer un vin consiste à l'amener à sa température idéale, en le posant verticalement dans une pièce relativement tempérée. Cette pratique exclut les maisons, appartements ou pièces surchauffés. Une mise en carafe peut accélérer cette mise en température. Comptez une trentaine de minutes avant le service.

❖ La température de service des vins blancs

Les vins blancs secs, intenses, expressifs, se livrent à une température relativement fraîche, comprise entre 8 et 10 8C. On peut les placer au réfrigérateur une heure avant le service. Les liquoreux se servent à une température d'environ 8 8C, à l'instar des crémants et des mousseux, les vins doux naturels un ton légèrement en dessous, à 7 8C.

L'exception confirmant la règle, le vin jaune se sert chambré, à 16 8C après deux heures d'ouverture.

Enfin, concernant les champagnes, un champagne d'apéritif, bien souvent très acidulé, parfois agressif, peut se déguster très frais, entre 6 et 8 8C. Températures qui devraient mettre en avant l'équilibre entre la fraîcheur, l'acidité et les arômes complexes d'une bonne bouteille. Attention, un excès de froid durcit les vins blancs secs et le champagne.

❖ Rafraîchir une bouteille

Il existe différents moyens de faire baisser la température d'un vin et de conserver une bouteille fraîche. Un seau à vin, rempli de glace et d'eau, ou un ice-bag pour la version pique-nique, sera idéal, dans la mesure où l'eau est un excellent conducteur. La bouteille doit être immergée.

Il existe également des housses isothermes rafraîchissantes, mais elles ne couvrent que le corps de la bouteille. Leur usage permet de conserver une température idoine. Idem pour les rafraîchisseurs en inox. Le réfrigérateur peut être une solution, sachant que la température d'une bouteille, couchée, diminue de 2 8C toutes les dix minutes. Cette méthode concerne aussi bien les blancs que les rouges. Mieux vaut faire passer un vieux banyuls (16 8C) par la case réfrigérateur que de le rafraîchir avec un glaçon.

[La dégustation]

La dégustation d'un vin commence par le choix du verre, un verre à pied, fin, transparent, un peu ventru mais pas plus. Le verre élu doit avoir une ouverture légèrement resserrée afin de concentrer les arômes. Inutile de l'agiter machinalement, une fois le vin servi, pour l'aérer avant d'avoir procédé à l'examen visuel et olfactif. On peut ainsi beaucoup plus vite détecter un éventuel goût de bouchon, de son petit nom trichloroanisol ou TCA.

❖ La robe à vue d'œil

La robe des vins rosés

- Chair
- Saumon
- Marbre rose
- Bois de rose
- Pelure d'oignon
- Framboise
- Brique
- Corail
- Groseille

La robe des vins blancs

- Jaune vert
- Jaune paille
- Or vert
- Or pâle
- Or jaune
- Doré
- Vieil or
- Ambré clair
- Ambré foncé
- Roux

La robe des vins rouges

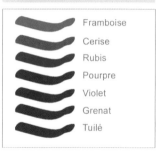

- Framboise
- Cerise
- Rubis
- Pourpre
- Violet
- Grenat
- Tuilé

La lumière du jour, un fond blanc, sont de précieux alliés pour qualifier la robe d'un vin, décliner ses nuances et apprécier son éclat et sa limpidité. Est-il cristallin, limpide, voilé, flou ou opaque ? On peut en juger en portant le verre, tenu par le pied, devant ses yeux, incliné à 458. Un vin est plus ou moins trouble. Cela peut être l'indice, pour un vin rouge, qu'il n'a pas été filtré. On appréciera la qualité d'un vin blanc à sa brillance, témoin de son acidité, garante d'un bon vieillissement et d'un vin ayant du corps et de la fraîcheur. D'étincelant à mat, cette palette d'éclats emprunte aussi les adjectifs éclatant, brillant et net.

Il est tout aussi important de se familiariser en amont de la dégustation avec le nuancier des couleurs vineuses, du violacé au rouge rubis, caractères d'un vin jeune, à la cerise noire en passant par le rouge framboise, le pourpre, le grenat et le carmin ou, pour les vins blancs, du jaune pâle presque incolore, à reflets verdâtres (signe de jeunesse), à l'ambre, à moins que ce ne soit jaune paille, doré, vieil or, etc. Du côté des vins rosés, neuf couleurs s'imposent en général, allant de chair à groseille en passant par framboise, bois de rose, marbre rose, saumon, pelure d'oignon, brique et corail. Ces palettes de couleur peuvent être rehaussées ou non par l'intensité de la robe, pâle, claire, élevée, soutenue, profonde, dense et intense. La couleur est une précieuse source d'information. Elle nous renseigne sur l'âge, le niveau d'épanouissement d'un vin.

Pour un vin rouge, virer au brique est signe de maturité (reflets tuilés), au brun symptôme d'un déclin avancé. Le jaune brun d'un vin blanc annonce une oxydation ou une madérisation.

Un dernier indice peut être relevé, qui concerne plus particulièrement les vins blancs secs ou moelleux : la qualité des larmes, ou jambes, déposées sur les parois. Plus elles accrochent au verre, plus le vin est gras et riche en alcool, ce qui ne préjuge en aucun cas de sa qualité.

❖ Questions de nez

Des inspirations assez courtes, un peu plus prolongées quand il s'agit d'identifier une nuance, beaucoup de concentration et rien qui ne vienne perturber le nez (odeurs de parfum, de tabac, etc.). Le premier nez permet de humer le vin sans qu'il ait été aéré et de capter les molécules qui s'en dégagent spontanément. Un léger mouvement circulaire précède le deuxième nez, qui va saisir les arômes volatils et les plus fines et subtiles molécules, souvent les plus précieuses.

On distingue onze familles aromatiques : boisée, florale, fruitée, épicée (poivre, cannelle, gingembre), végétale (foin, tabac, verveine, thé), animale (cuir, fourrure, viande crue, musc), balsamique (résine, térébenthine), empyreumatique ou de torréfaction (pain grillé, encens, caramel), amylique (banane verte, pomme verte, bonbon acidulé), lactée (yaourt, crème fraîche, beurre) et minérale (silex, craie, pétrole).

La ronde des arômes

Les arômes primaires

L es arômes primaires sont directement liés au type de raisin. Chaque cépage porte sa signature olfactive, plus ou moins intense et complexe. Leurs arômes évoquent géné- ralement des odeurs fleuries, fruitées ou végétales, comme le buis pour le sauvignon, celui du bâton de réglisse pour le caber- net-sauvignon quand le merlot évoque la fraise.

Les arômes secondaires

Synonyme : arômes de fermentation. Les arômes secondaires sont le résultat de l'action des levures pendant la fermentation. Ils peuvent évoquer la banane, le vernis à ongles, le bonbon anglais mais aussi la bougie, la cire, le froment, la brioche, pour la fermentation alcoolique ; la fermentation malolactique géné- rant des arômes de beurre frais ou de crème fraîche, entre autres.

Les arômes tertiaires

Appréciés sous le nom de bouquet. Notes complexes que développe un vin pendant son élevage et son vieillissement en bouteille. Les arômes tertiaires les plus connus sont la truffe, le cuir, le moka, la noix de coco, les arômes de pâtisserie comme le cake, le miel et la pâte d'amande, les notes animales de four- rure, cuir et musc.

❖ Goûter le vin

L'examen gustatif est la dernière phase de ce voyage sensoriel sur lequel on chemine à petites goulées. L'attaque en est la première étape. Elle peut être fuyante, franche, nette, ample ou intense. Une fois en bouche, on peut étaler le vin sur la langue, le remuer, le mâcher pour qu'il imprègne le palais. Vous définirez ainsi le corps, la qualité du vin, acide, astringent, riche ou non en tanins, en alcool, l'éventuelle présence de gaz carbonique. Le vin deviendra rond, puissant, corsé, charnu, soyeux, mais peut-être aussi brûlant, creux, sévère, etc. L'ensemble dure une dizaine de secondes. La fin de bouche marque le terme de ce périple. Quelles impressions vous en reste-t-il ? Aucune, le vin manque d'équilibre. De cette absence naît presque un sentiment d'incompréhension, d'irritation. Le souvenir en bouche d'un grand vin, comme celui d'une grande aventure, s'éloigne progressivement, le plaisir demeure encore quelques secondes pour lentement s'effacer. Comptez les secondes, les caudalies, qui séparent un grand vin d'un petit. Pour confirmer votre jugement, patientez encore et notez les sensations que vous avez en bouche, lourdeur, sensation d'assèchement, etc. Il n'est pas forcément utile d'être aussi précis en dehors d'une dégustation. Lors d'un repas, on peut simplement apprécier l'équilibre d'un vin et les accords de saveurs avec les mets présentés.

Dégustations horizontale, verticale, à l'aveugle

L a dégustation à l'horizontale consiste à goûter différents vins d'une même appellation, d'un même cru, pour établir des comparaisons entre eux. La dégustation verticale peut concerner un même vin mais sur plusieurs millésimes. Il s'agit alors de les classer, du plus vieux au plus jeune, en s'appuyant sur l'analyse de la robe, de son intensité, de sa longueur en bouche, etc. L'exercice est réservé aux amateurs aguerris et aux professionnels.

La dégustation à l'aveugle, au cours de laquelle forme de la bouteille et étiquette sont cachées, permet de ne pas être « sous influence ».

Un premier test peut être fait quand on est débutant : distinguer les vins blancs des vins rouges, à l'aveugle. Les vins choisis pour cet exercice doivent être jeunes, servis à la même température : un vin frais ne sera pas forcément blanc... L'étape suivante peut être un test de reconnaissance de vins de cépage, aussi bien en blanc qu'en rouge.

Il existe des kits de dégustation, des coffrets d'arômes qui, à défaut d'un stage œnologique, peuvent vous aider à travailler votre nez et vos sens en général, à partir des quatre saveurs, le sucré, le salé, l'acide et l'amer.

Lexique
des mots pour le dire

• Acide

L'acidité donne au vin relief et longévité. Quand elle est désagréable, l'acidité provient de vendanges incomplètement mûres. L'excitation exacerbée qu'elle occasionne aux papilles situées sur les côtés de la langue donne au vin un caractère mordant.

• Ambré

De la couleur de l'ambre jaune, vieil or à reflets brun rouge. Coloration prise par les vins blancs secs qui vieillissent trop longtemps ou s'oxydent prématurément. Concernant les vins liquoreux de Bordeaux, cette teinte, très appréciée, témoigne d'un long vieillissement en bouteille.

• Amertume

Normale pour certains vins rouges, jeunes et riches en tanins (amertume et astringence sont deux saveurs qui se renforcent), l'amertume peut aussi être un défaut dû à une maladie bactérienne pendant la fermentation malolactique. Elle s'exprime généralement en fin de bouche.

• Ample

Se dit d'un vin harmonieux donnant l'impression d'occuper pleinement et longuement la bouche.

• Animal

Qualifie la série des arômes rappelant les odeurs du règne animal : musc, viande crue, cuir…, qui sont

fréquentes dans les vins rouges vieux. Ces arômes sont produits par recombinaison de certains composants du vin en bouteille ; ils apparaissent lors du vieillissement du vin.

• Âpre

On définit ainsi un vin très astringent. Sa structure tannique est importante ou de qualité rustique.

Sur l'échelle de l'astringence, âpre est moins fort qu'atramentaire et plus que rêche.

• Arômes

Ensemble des odeurs identifiables par examen olfactif. Au fil du temps, les arômes évoluent et se transforment en un bouquet plus complexe.

• Arrière-goût

C'est le goût qui persiste après l'absorption du vin. On peut parler aussi de persistance ou de finale. Cet arrière-goût se doit d'être équilibré, harmonieux et le plus persistant possible.

• Astringent

Les tanins produisent sur la langue et les gencives un effet de dessèchement et rendent inopérantes les protéines lubrifiantes de la salive. L'astringence diminue avec l'âge du vin.

• Austère

Se dit d'un vin encore sans bouquet, qui n'exprime pas une grande richesse aromatique.

• Balsamique

Série d'arômes tertiaires venus de la parfumerie et comprenant la vanille, l'encens, le santal, la résine de pin, mais aussi la cire d'abeille et le camphre. Ces arômes de vieillissement apparaissent en milieu réducteur, lors du vieillissement en bouteille.

• Boisé

Se dit d'un vin qui a subi un élevage en barrique. Il s'accompagne, dans le meilleur des cas, d'un nez de pain grillé qui se transforme progressivement en vanille, moka, chocolat ou noix de coco.

Les arômes boisés proviennent des tanins des fûts dans lesquels le vin a été élevé.

• Brillant

Se dit d'une couleur très limpide dont les reflets brillent fortement à la lumière. Signe de qualité d'un vin.

• Brûlant

Qualifie un vin trop fort en alcool et donc déséquilibré en bouche.

Ce caractère se manifeste par une rondeur excessive et un caractère « alcooleux », parfois asséchant en fin de bouche.

• Capiteux

Caractère d'un vin très riche en alcool, jusqu'à en être entêtant.

• Caractère

Le caractère d'un vin renvoie à son terroir, aux cépages utilisés ou à sa vinification. Exemple : caractère franc, caractère généreux.

• Caudalie

Du latin *cauda* : queue. Unité de mesure de la durée de persistance en bouche des arômes. Une caudalie représente une seconde. Un grand vin a une finale de huit caudalies voire plus.

• Chair

Synonymes : charnu, pulpeux. Un vin ayant de la chair est un vin qui donne en bouche une impression de plénitude et de densité, sans aspérité.

• Chaleureux

Se dit d'un vin procurant, notamment par sa richesse alcoolique, une impression de chaleur.

• Charnu

Synonyme : qui a de la chair. Caractérise un vin qui emplit la bouche.

• Charpenté

Un vin est charpenté quand il a une bonne constitution, qu'il est riche et tannique, à l'inverse d'un vin fluide et dilué. Un vin charpenté a généralement un bon potentiel de vieillissement.

• Concentré

Se dit d'un vin riche, tant par une couleur soutenue que par la puissance et la diversité de ses arômes. La concentration d'un vin résulte souvent d'une macération longue pendant la fermentation. Elle est rendue possible par une grande maturité des raisins et une concentration importante en tanins.

- **Corps**

Se dit d'un vin alliant une bonne constitution (charpente et chair) à un caractère chaleureux (un titre alcoométrique élevé).

- **Corsé**

Qualificatif utilisé pour décrire un vin rouge avec du corps, une structure tannique puissante et marquée au palais.

- **Court**

Ou court en bouche. Vin laissant peu de traces en bouche après dégustation (une à deux caudalies).

- **Creux**

Vin sans consistance.

- **Déséquilibré**

Vin qui n'a pas ou plus d'équilibre entre ses composants, sans harmonie, comme un vin blanc dont l'acidité serait trop forte (signe d'un raisin de faible maturité) ou d'un vin rouge dont les tanins seraient trop rudes (indiquant une durée de cuvaison trop longue).

- **Douceâtre**

Vin désagréablement sucré, avec une acidité faible.

- **Droit de goût**

Synonyme : franc, net. Vin qui ne laisse aucun arrière-goût laissant penser à un quelconque défaut.

- **Dur**

Vin qui manque de rondeur, il est souvent très tannique et/ou acide. Soit la durée de cuvaison a été trop longue, soit l'acidité est trop marquée (dans le cas de raisins récoltés avant complète maturité).

- **Empyreumatique**

Du grec *pyros* : feu. Qualificatif d'une série d'odeurs rappelant le brûlé, le cuit ou la fumée.

- **Enveloppé**

Caractère d'un vin riche en alcool, mais dans lequel le moelleux domine.

- **Épais**

Se dit d'un vin très coloré, donnant en bouche une impression de lourdeur et d'épaisseur.

- **Épanoui**

Qualifie un vin équilibré, qui est à son optimum. Désigne aussi, par analogie à l'univers floral, un vin dont le bouquet est à l'apogée, c'est-à-dire à son optimum de vieillissement, à

son point d'équilibre, précédant le début du déclin.

• Épicé

Vin affichant des arômes d'épices, poivre, cannelle, cardamome, gingembre, caractère qui se renforce lors du vieillissement.

• Équilibré

Se dit d'un vin qui présente une belle harmonie entre ses différents composants. Les tanins et l'acidité sont équilibrés par la texture onctueuse. La richesse d'arômes est équilibrée par une texture dense. Un vin équilibré est l'objectif de tout producteur.

• Étoffé

Désigne un vin ample et plein, qui a de l'étoffe.

• Éventé

Vin ayant perdu tout ou partie de son bouquet à la suite d'une oxydation.

• Évolué

Qualifie un vin qui a dépassé son stade optimum d'évolution. Un vin évolué fait place à un vin à son apogée. Ses arômes faiblissent, sa couleur brunit et tire vers l'orange pour les rouges, vers le brun et le marron pour les blancs.

• Faible

Vin léger en couleur, sans structure et avec peu d'arômes. Provient souvent de jeunes vignes ou d'un petit millésime.

• Fatigué

Qualifie un vin ayant subi un traitement qui l'a déstabilisé. Il est alors plus difficile à déguster.

• Féminin

Vin offrant élégance et légèreté, par opposition à la force tannique, la charpente.

• Fermé

Cet adjectif caractérise un vin qui n'exprime pas encore toutes ses qualités aromatiques et que l'on doit laisser vieillir pour qu'il s'exprime pleinement. Un vin fermé développe des arômes anormalement faibles pour sa qualité ou son terroir.

• Finesse

Qualité d'un vin délicat et élégant, dont l'équilibre privilégie le velouté, l'harmonie de saveurs et d'arômes.

• Flaveur

Ensemble des sensations gustatives et odorantes. Les saveurs désignent les sensations tactiles et physiques dans la cavité buccale. Les arômes désignent les seules sensations olfactives, perçues soit par le nez (olfaction) soit par la bouche (rétro-olfaction).

• Fondu

Qualité d'un vin, vieux notamment, dont les différents caractères forment un ensemble harmonieux et équilibré.

• Frais

Se dit d'un vin légèrement acide, mais sans excès, qui procure une sensation de fraîcheur, recherché pour son côté désaltérant.

• Franc

Désigne l'ensemble d'un vin, ou l'un de ses aspects (couleur, bouquet, goût...) sans défaut ni doute.

• Friand

Synonyme : gourmand. Vin à la fois frais et fruité. Entrent dans cette catégorie les bordeaux rosés et les clairets.

• Généreux

Caractère d'un vin riche en alcool, mais sans être fatigant, à la différence d'un vin capiteux. Souvent le fait de millésimes chauds et ensoleillés.

• Grand

Qualifie un vin de classe supérieure, de grande qualité, équilibré, complexe, persistant.

• Gras

Synonyme : très rond. Un vin gras a de la consistance et du moelleux, bien que parfaitement sec.

Son onctuosité est liée à l'alcool mais surtout au glycérol produit par les levures pendant la fermentation.

• Herbacé

Désigne des odeurs ou arômes rappelant le foin séché, le tabac ou l'herbe fraîche (connotation péjorative car vient de raisins insuffisamment mûrs à la récolte).

• Insipide

Caractère d'un vin qui n'a ni arômes, ni saveur particulière.

• Jambe

Un vin qui a de la jambe laisse sur les parois du verre des traces en forme de larmes, preuve de sa richesse en glycérol.

Cette onctuosité est un indicateur de maturité des raisins, d'onctuosité ou de gras, et par conséquent d'un taux d'alcool élevé.

• Léger

Qualifie un vin peu coloré et peu corsé, mais équilibré et agréable. À boire assez rapidement en règle générale.

• Limpide

Se dit d'un vin de couleur claire et brillante ne contenant pas de matières en suspension.

• Liquoreux

On appelle ainsi un vin blanc riche en sucres résiduels (sucres naturels non fermentés). Les liquoreux sont très gras en bouche, presque visqueux. Ils peuvent atteindre une puissance aromatique et une densité exceptionnelles.

• Long en bouche

Synonymes : vin d'une bonne longueur / de grande persistance aromatique. Vin dont les arômes laissent en bouche une impression plaisante et persistante après la dégustation.

• Lourd

Vin épais et à fort pourcentage d'alcool.

• Mâche

Ce terme s'applique à un vin possédant à la fois épaisseur et volume. Il donne l'impression de pouvoir être mâché. On dit qu'il a de la mâche.

• Madérisé

On parle d'un vin madérisé pour un vin en fin de vie, reconnaissable à son goût de madère et à sa couleur ambrée, signes d'un trop long vieillissement.

• Maigre

Vin peu tannique et sans corps, déséquilibré.

• Mielleux

Qualifie un vin blanc liquoreux déséquilibré par excès de sucre et déficit d'acidité. La forte expression des sucres rappelle le miel.

• Moelleux

vin sec où le gras domine l'acidité.

• Mou

Décrit un vin manquant légèrement d'acidité.

• Musquée

Odeur rappelant celle du musc que l'on trouve dans les bouquets de vieillissement des vins rouges.

• Nerveux

Adjectif utilisé pour décrire un vin marquant le palais par des caractères bien accusés et une acidité importante, mais sans excès.

• Net

Synonyme de franc. Vin ne présentant d'emblée aucun défaut, ni olfactif ni gustatif.

• Neutre

Qualifie un vin sans personnalité.

• Onctueux

Cet adjectif désigne un vin agréablement moelleux et gras en bouche. L'onctuosité d'un vin rappelle une sensation douce et par extension, sucrée. Les vins secs sont onctueux, par opposition à vif ou nerveux.

• Plat

Se dit d'un vin sans bouquet ni acidité.

• Plein

Vin ayant les qualités demandées à un bon vin et qui donne en bouche une sensation de plénitude.

• Puissant

Caractère d'un vin à la fois plein, corsé, généreux et d'un riche bouquet.

• Racé

Expression utilisée pour décrire un vin typé et original.

• Raide

Adjectif employé pour qualifier un vin tannique et acide.

• Râpeux

Synonyme de rêche. Vin très astringent, donnant l'impression d'une grande sécheresse en bouche.

• Riche

Se dit d'un vin coloré, généreux, puissant et en même temps équilibré.

• Robe

Mot employé pour désigner la couleur d'un vin.

• Rond

Vin dont la souplesse, le moelleux et la chair donnent en bouche une agréable impression de rondeur.

• Rôti (arômes de)

Odeurs que l'on trouve dans les vins surmûris, issus de raisins atteints de pourriture noble.

Elles évoquent les fruits rôtis au four, les écorces d'agrumes, les fruits secs ou bien encore le pain grillé.

• Rubis

Couleur rouge vif, typique d'un vin jeune.

• Rude

Vin astringent et de faible qualité.

• Sévère

Qualifie un vin dur et sans bouquet.

• Solide

Vin bien constitué, possédant notamment une bonne charpente.

• Soyeux

Vin souple, coulant et moelleux, avec des tanins fins et veloutés.

• Tannique

Caractère astringent d'un vin dû à sa richesse en tanins.

• Tuilé

On dit d'un vin qu'il est tuilé quand il a perdu sa robe de carmin, rubis ou grenat. Les reflets orangés, tuilés, sont dus à un vieillissement avancé. Un vin à son apogée affiche générale-ment quelques reflets tuilés.

• Végétal

On parle d'un vin végétal quand les arômes dits végétaux, foin, poivron vert, bâton de réglisse... sont trop prononcés. Ces arômes proviennent généralement de vendanges insuffi-samment mûres.

• Venaison

Bouquet d'un vin lorsqu'il évoque l'odeur de grand gibier.

• Vert

Vin trop acide. Plus acide que « nerveux » et moins que « dur ».

• Vif

Se dit d'un vin frais, agréable et léger, avec une petite dominante acide mais sans excès.

Moins acide que « nerveux » et plus que « frais ».

• Viril

Qualifie un vin à la fois charpenté, corsé et puissant.

• Voilé

Vin légèrement trouble.

• Volume

Caractère d'un vin donnant l'impres-sion de bien remplir la bouche.

Accords majeurs,
accords mineurs

[Les grands mariages]

L es accords entre mets et vin sont le fruit d'expérimenta-
tions riches et variées, avec leur lot de découvertes et de
déceptions, l'idée générale étant qu'un plat ne doit pas
écraser un vin et vice-versa. Le champ de recherche, il faut l'avouer,
est très vaste. Dans un premier temps, mieux vaut procéder par ordre, à
savoir marier ses plats préférés, ceux que l'on cuisine pour soi ou pour
ses amis, comme ceux que l'on choisit régulièrement sur la carte des
restaurants, petits et grands.

❖ Apéritifs et mises en bouche

L'apéritif est au repas ce que le prologue est au Tour de France, une
mise en jambe fournissant de précieuses informations sur la suite de
la course... Ce premier rendez-vous a pour objet d'ouvrir l'appétit. Il
ne doit pas traîner en longueur mais donner faim. Attention, les chips,
ainsi que leurs nombreux avatars, cacahuètes et autres mini-pizzas,
généralement trop salés, donnent soif et s'accordent mal avec la majorité des breuvages, si ce n'est, et encore, un alcool anisé dont le principal mais pas le moindre des défauts, sera de marquer longuement le
palais. Un vin blanc sec, légèrement acide, fruité mais pas trop, peut
constituer une bonne introduction. Il supporte aussi bien le saumon
fumé sur canapé que le saucisson en tranches ou les carottes et radis.
Un savennières se complaît avec les rillettes, un bandol blanc ou un
cassis sera plus enthousiaste sur des saveurs méditerranéennes. Si
l'heure est au foie gras, penchez pour un vin moelleux, un jurançon, à
moins que ce ne soit un muscat de Beaumes-de-Venise, qui se mariera

également très bien avec des cubes de melon. Servis sur du pain grillé pour l'un, des blinis pour l'autre, la tapenade et le tarama (œufs de morue) appellent un cassis ou un côtes-de-provence blanc, très à l'aise également avec un assortiment de tapas, à base de jambon serrano, tortillas, chorizo, calamars, anchois et olives marinées...

❖ Les entrées

Entre salades d'été et soupes d'hiver, voici un moment difficile à passer. La salade parce qu'elle rime avec vinaigrette qui bien trop souvent fraye avec acidité, sans parler du citron, de la mayonnaise, de l'huile, de l'ail, du fromage blanc et des oignons... Mieux vaut aller vers les blancs secs, un peu ronds et frais comme les appellations provençales, les incontournables muscadets et entre-deux-mers, à moins qu'un sylvaner ou un menetou-salon ne fasse l'affaire. Sans parler des rouges, que l'on choisira légers, à base de gamay (beaujolais, côtes-d'auvergne, saint-pourçain...), et servis frais.

Autre compagne de nos étés, la tomate crue ne favorise guère les grands accords. À l'ail, à l'huile d'olive, au pistou, en tarte avec force courgettes et anchoïade, en clafoutis ou confite, elle aura un faible pour les rosés, les moins attendus, marsanney et autres bordeaux clairets et les classiques, j'ai nommé bandol, tavel, lirac, palette, coteaux-d'aix et corbières. On retrouvera ces derniers aux côtés de la chiffonnade de jambon cru et de son melon qui, dégusté en solitaire, appellera un vin doux naturel blanc, muscat de Riversaltes, de Frontignan ou de Beaumes-de-Venise.

Avec une soupe ou un bouillon de légumes, le vin devient presque secondaire. Le beaujolais ne s'en offusquera pas. Mais que penser d'une soupe de poissons, si ce n'est qu'un blanc sec, seul, pourrait lui rendre justice, muscadet sur l'Atlantique, cassis en Méditerranée.

Les accords difficiles

L'eau est la bienvenue avec l'œuf, à la coque ou dur, la mayonnaise étant une circonstance aggravante dans ce dernier cas. La consommation du jaune est incompatible avec celle du vin. Surtout un vin rouge. Un vin blanc tout simple fera l'affaire. Mais n'en demandez pas trop... Autres mal-aimés, les artichauts, poireaux et haricots verts vinaigrette, sans oublier l'asperge dont le goût amer, très marqué, s'impose en général aux vins. Seul un muscat d'Alsace, sec et fruité, lui tient tête. Ce vin blanc peut accompagner nombre de préparations à base de légumes, cuits à la vapeur ou crus, mais aussi un poulet tandoori ou un curry. L'ail et l'huile d'olive, éléments incontournables de la cuisine méridionale, dictent également leur loi au vin et les écrasent de leur parfum. Un vin blanc frais pourra tirer son épingle du jeu.

Tartes salées et quiches demandent d'autres accords. Leurs déclinaisons d'inspiration rhénane, tarte à l'oignon, aux poireaux, quiche lorraine et tarte flambée, appellent un vin blanc d'Alsace (sylvaner, pinot blanc, edelzwicker), un moselle ou un mâcon.

Quant aux pizzas, la diversité de leur garniture réclame des vins tout aussi variés et assez passe-partout, rosés, vins blancs secs sans prétention ou rouges légers, servis frais.

Côté charcuterie, on peut privilégier les accords de terroir. Un jambon de Bayonne appréciera la rencontre avec un irouléguy rosé ou un béarn. Les jeunes vins rouges du Bordelais et du Sud-Ouest, trop tanniques, sont à éviter. Les rillettes, avec l'andouille, le rôti de porc et le jambon cuit, pencheront pour un vin blanc frais, avec une préférence pour les vins de Loire, savennières, touraine, vouvray, montlouis sec, et du

Centre-Loire, sancerre, pouilly-fumé, reuilly... Le cervelas, le fromage de tête (ou presskopf) et les charcuteries alsaciennes en général, hure, galantine, apprécieront la compagnie d'un sylvaner ou d'un pinot blanc. Les terrines et autres pâtés s'accorderont avec des vins rouges légers (cépage gamay) du Beaujolais et de Touraine notamment.

❖ Coquillages et crustacés

Les senteurs et saveurs du grand large vers lesquelles nous transporte le goût iodé des coquillages et crustacés réclament un vin blanc sec et fruité aux notes de citron et de fleurs, né près de l'Atlantique comme l'appellation muscadet-côtes-de-grand-lieu, servi à 8 ou 9 8C, superbe avec les huîtres. On peut lui préférer un gros-plant, un entre-deux-mers, un graves, à moins que ce ne soit un picpoul-de-pinet ou un coteaux-du-languedoc si l'on veut changer de rivage. En allant vers l'intérieur des terres, on croise la route du sancerre et du pouilly-fumé. Le fruité d'un pinot blanc d'Alsace ou la fraîcheur d'un sylvaner est aussi très agréable, idem pour un savoie blanc

Les crustacés, avec ou sans pinces, ont la même nature salée, iodée et grasse que les coquillages, mais leur alliance avec le vin dépend aussi de leur préparation et s'ils sont servis froids ou chauds. Les oursins se pâment devant un vin blanc de cassis quand le homard fait les yeux doux aux vins de Loire, vouvray sec, savennières, montlouis ou bien, côté Bourgogne, à l'élégant puligny-montrachet. Toujours en Bourgogne, chablis, mâcon et pouilly-fuissé s'uniront avec bonheur aux langoustines (sans mayonnaise).

❖ Poissons de mer, poissons d'eau douce

Les poissons de mer nous encouragent à explorer la carte des vins blancs secs et de leurs mille et une nuances. Tout dépend en fait de la chair du poisson et de la manière dont il sera préparé. Avec celles, délicates et moelleuses du turbot, du carrelet, de la limande, du saint-pierre et de la sole, on appréciera la rondeur d'un grand vin blanc, chablis, meursault, puligny-montrachet en Bourgogne, graves en Bordelais. Un choix de raison quand le poisson est servi avec une sauce à base de crème. Quand l'huile d'olive et l'ail s'imposent, on leur préférera, en blanc toujours, un côtes-de-provence, ou plus rare, un baux-de-provence, un palette, ou un coteaux-d'aix. Un saint-joseph ou un crozes-hermitage, dans la catégorie côtes-du-rhône septentrio-naux, sera aussi le bienvenu. Ces vins se conjuguent également assez bien avec le thon. Certains rosés, tavel, collioure, irouléguy, côtes-de-provence et coteaux-d'aix, ne dépareront pas.

Classique parmi les classiques, la truite, aux amandes ou meunière, s'accommode de n'importe quel vin blanc sec un peu rond, et notamment des vins de Loire. C'est aussi le cas du sandre, de la perche et du brochet, ce dernier se mariant assez bien aux vins issus des cépages chardonnay, saint-véran, pouilly-fuissé, meursault, chablis, mâcon-villages, etc.

❖ Les pâtes

Des spaghettis à la carbonara aux lasagnes al forno, en passant par les penne au pesto, la carte des pâtes et de leurs ingrédients est presque aussi vaste que la botte italienne.

Ce sont ces derniers qui vont orienter la sélection des vins. Les lasagnes, spaghettis, cannellonis et tagliatelles à la sauce bolognaise (à base de viande de bœuf hachée, huile d'olive, oignons, ail, carotte, vin blanc sec mais aussi tomates et parmesan) appellent un vin rouge, un côtes-de-provence ou un côtes-du-rhône-village, à moins qu'on ne leur préfère un vin italien, *chianti classico*, *bardolino* ou *dolcetto*. On pourra retrouver ces vins aux côtés des traditionnels spaghettis à la carbonara.

La crème fraîche et le parmesan râpé, ingrédients de base de la sauce, avec les jaunes d'œufs et les lardons, se marient assez bien avec les vins issus de cépage chenin (Val de Loire) comme le vouvray ou le montlouis, mais aussi avec certains bourgognes blancs, chablis, bourgogne aligoté...

Des vins qui accompagneront également, à l'instar d'un picpoul-de-pinet ou d'un entre-deux-mers, des tagliatelles aux fruits de mer. Ils seront également aux premières loges sur des ravioles du Dauphiné, produit que l'on trouve assez facilement au rayon frais des grandes surfaces.

Si vous leur préférez la saveur d'un bon pesto, où communient huile d'olive, ail, basilic, pignons de pin et parmesan, tournez-vous vers un cassis, un bandol, un côtes-de-provence ou un patrimonio blanc.

❖ La volaille et le lapin

Ah, le bonheur d'un poulet rôti aux girolles... Ces volatiles s'apprécient en compagnie d'un vin rouge tendre, légèrement fruité, vins de Touraine (anjou-villages, chinon, bourgueil), de Bourgogne (beaujolais-villages, brouilly, saint-amour, mercurey, rully) ou des Côtes du Rhône (côtes-du-rhône-villages, cornas, saint-joseph). S'il est à la crème ou au citron, ses faveurs iront aux vins blancs du Val de Loire, anjou, montlouis sec. Chapons et poulardes seront accordés selon les mêmes principes, mais un ton au-dessus.

Vous pourrez ainsi inviter à votre table un grand de Bourgogne et de la Côte de Beaune, fin et racé, aloxe-corton, beaune, volnay, santenay, et son pendant en médoc, exception faite de vins trop tanniques.

Le coq au vin se décline en blanc et rouge, en fonction du vin qui aura mijoté. On le choisit de préférence riche, expressif, comme un juliénas, un bandol, un gigondas. Les bourgognes, volnay, pommard ou santenay, sont également les bienvenus.

Les palmipèdes ne sont pas en reste. Le canard fleure bon le Sud-Ouest. En le mariant avec la pêche ou l'orange, il pourra flirter avec un blanc moelleux, pas trop chargé en sucre, de type loupiac, jurançon, barsac, sauternes ou bonnezeaux et quarts-de-chaume. Dans un tout autre genre, le confit qu'il soit de canard ou d'oie demande des vins rouges puissants, assez corsés, aux tanins souples et ronds, cahors ou madiran d'un âge déjà vénérable, bergerac, fronsac, pomerol, graves, médoc. Autant d'appellations que l'on pourra également assortir à la dinde aux marrons.

Le lapin a aussi ses entrées dans la basse-cour. Rôti ou à la moutarde, on aimera l'associer à un vin de Loire, sancerre rouge, bourgueil, saint-nicolas-de-bourgueil et chinon ou saumur-champigny.

Le lapin au thym appelle des vins du soleil, des collioures aux coteaux-d'aix en passant par les fitou, corbières, faugères et autres coteaux-du-languedoc.

❖ Les viandes

Le veau, apprécié pour sa finesse et son fondant, réclame des vins fins, margaux, saint-julien, pauillac, tendres et peu tanniques comme les vins de Loire issus de cabernet franc. Avec une côte de veau, une escalope à la crème ou une blanquette, il est préférable de servir un blanc sec tendre, un vin de Loire toujours, anjou, savennières, vouvray ou montlouis.

Le bœuf, lui, voit la vie en rouge. Des rouges plutôt jeunes, parfois corsés et dont les tanins ne lui cherchent pas noise. C'est vrai pour les grillades, les brochettes, le steak, la bavette et le filet. La liste est longue, non exhaustive, et nous fait voyager à travers les différents vignobles et appellations françaises, des côtes-de-blaye au faugères, en passant par les bergerac, touraine, saint-pourçain, alsace pinot noir, mâcon, beaujolais-villages, chénas, côtes-du-rhône-villages, saint-chinian ou collioure. Une entrecôte grillée, un tournedos ou une côte de bœuf demandent un vin plus charpenté, voire corsé, médoc, saint-estèphe, pessac-léognan, cahors, pécharmant, madiran, à moins qu'un jeune bourgogne...

Auquel cas, un pernand-vergelesses, un beaune ou un santenay ferait l'accord. On peut également associer ces vins à la chair confite des viandes braisées et mijotées, bœuf bourguignon, en daube, braisé aux carottes qui apprécieront aussi la compagnie des nuits-saint-georges, gevrey-chambertin et rully, autant de vins aux tanins fondus. Un saint-émilion, un pomerol, ne dépareilleront pas, mais on peut aussi leur préférer un gigondas ou un côtes-du-rhône.

N'oublions pas les traditionnels pot-au-feu et hachis parmentier, tous deux appelant des vins faciles à boire, fruités et généreux. On peut ainsi les unir aux différents crus du Beaujolais et autres adeptes du gamay, côte-roannaise, côtes-d'auvergne, touraine gamay. Mais également aux vins rouges du Val de Loire, à base de pinot noir.

La viande d'agneau se marie agréablement à un bordeaux aux tanins souples. Un pauillac, ou tout autre médoc, sera heureux en compagnie du gigot de l'agneau du même nom, dont la chair, blanche et moelleuse, a une fine saveur de lait. Les côtelettes apprécieront également la compagnie des médocs et autres vins du Bordelais (pomerol, saint-émilion, pessac-léognan). Grillées, elles courtisent le thym, le romarin et l'ail, et avec eux les baux-de-provence, corbières et coteaux-d'aix. En compagnie des tripous (d'Auvergne), on privilégiera les accords de terroir, avec un côtes-d'auvergne-chateaugay, un saint-pourçain ou un côtes-du-forez. Idem pour les pieds-paquets, paquets de tripes de moutons farcies d'un hachis de jambon, d'ail et d'herbes, enroulées en forme de petits paquets et mijotées au vin blanc et au bouillon, avec des pieds de mouton, du lard et des tomates, spécialité à l'accent de Marseille et de Provence. Rouge, blanc et rosé de Provence leur répondent, cassis, palette, coteaux-d'aix et côtes-de-provence en blanc et rosé, mais aussi baux-de-provence et coteaux-varois en rouge.

Le porc entre dans la composition de nombreux plats, parmi les plus populaires, petit salé aux lentilles, potée, tomates farcies, travers, rôti, etc. Sa viande est aussi très présente dans les cuisines chinoise, thaïe et vietnamienne. On évitera les vins très tanniques pour s'orienter vers des rouges légers, un peu corsés, servis assez frais qui pourront cohabiter avec les pommes de terre, petits légumes ou oignons généralement associés à ces mets. Les beaujolais et gamay de Touraine, ainsi que les bourgueil, saumur-champigny et chinon, sont en première ligne, au même titre que les appellations en pinot noir de la Côte chalonnaise, givry, rully, mercurey et bourgogne rouge, avec à leurs côtés, les saint-joseph en cépage syrah, et les minervois. Les blancs secs un peu tendres, graves-de-vayres, chablis, rully et autres bourgognes blancs, avec les vins de Loire, anjou, vouvray et montlouis, soulignent la délicatesse d'un filet mignon à la crème. Les rencontres exotiques favoriseront, en blanc toujours, les viogniers et sauvignons, les vins de Loire issus du chenin, mais aussi un muscat d'Alsace.

Dans la catégorie abats, rognons, foie de veau, pied de porc, tripes ou tête de veau s'accordent avec les vins rouges légers aux tanins souples (chinon, bourgueil, sancerre, reuilly, fronsac, alsace pinot noir). Accord de terroir oblige, la saucisse de Morteau se plaît en compagnie d'un côtes-du-jura rouge ou d'un arbois.

Délicate et fondante, la cervelle d'agneau ou de veau appelle un vin blanc léger, saint-véran, pouilly-fuissé, mâcon-village en cépage chardonnay, ou bien un bandol ou un vin de Corse. L'andouillette grillée se réclame des vins de cépage gamay, légers et francs, beaujolais, mâcon, fleurie, saint-amour ou bien côtes-d'auvergne, touraine, anjou-gamay.

Avec une sauce à la crème, elle sera servie avec un blanc un peu rond, bourgogne aligoté ou pouilly-fuissé, mâcon, saint-véran, ou un vin de Loire, montlouis sec, vouvray ou savennières.

Le boudin noir peut prétendre à la compagnie d'un saint-émilion, d'un pomerol, des vins du Sud-Ouest, béarn, madiran, et des côte-rôtie, saint-joseph ou cornas, en cépage syrah. Les ris de veau sont mis en valeur par des vins rouges élégants, sans tanins, bordeaux ou vins de Loire. À la crème, on les préférera accompagnés d'un blanc onctueux et peu acide, allant du loupiac au bonnezeaux en passant par un jurançon ou un coteaux-de-l'aubance.

❖ Vins et fromages, halte aux idées reçues

Surtout pas de systématisme ni de grands vins avec le fromage qui peut en dénaturer la saveur. Gare aux idées reçues, les blancs secs et tendres font bien souvent de meilleurs compagnons, même si l'idée fait grincer des dents. Les accords de terroir sont également les bienvenus, ce qui simplifie agréablement les choses à l'heure du choix.

Un fromage de chèvre sec se délectera d'un vin blanc sec, fruité, assez rond. C'est ainsi que les AOP fromagères de Loire, crottin de chavignol, valençay, etc., convoleront en justes noces avec un sancerre, un pouilly-fumé, un vouvray, un savennières ou un valençay... On peut aussi regarder du côté des bourgognes blancs, mâcon, chablis, meursault, saint-véran et poully-fuissé. Les chèvres frais et demi-frais appelleront un vin de Loire, rouge léger et fruité, à choisir parmi les nombreuses appellations. Les fromages à pâte pressée réclament un vin blanc.

On privilégiera les accords de terroir pour le comté, en élisant un vin du Jura, côtes-du-jura, arbois, l'étoile, issu des cépages chardonnay et savagnin. À noter, la rencontre entre un comté longuement affiné et un vin jaune, château-chalon par exemple, a tout du coup de foudre. Ces affinités sont aussi celles du morbier et du mont-d'or. Dans la catégorie des fromages à pâte molle et croûte lavée, on trouve aussi le maroilles, le livarot, le pont-l'évêque et le munster. Ce dernier s'associe sans regrets au gewurztraminer, pour un superbe accord de terroir ! Du côté des fromages à pâte persillée, roquefort, fourme d'Ambert, rien ne vaut un vin moelleux, barsac, jurançon, loupiac, monbazillac, sauternes, vouvray... à moins qu'un vin doux naturel, banyuls, rasteau, rivesaltes ou maury, ne rafle la mise, et assure la transition avec le dessert.

Vins rouges et fromages

Contrairement à ce que l'on a souvent dit, le couple fromage et vin rouge ne va pas de soi. Les alliances réussies ne sont pas si nombreuses. Le saint-nectaire appelle un vin rouge pas trop corsé. On peut jouer la carte du terroir en le mariant avec un côtes-d'auvergne souple et rond ou un saint-pourçain. Idem avec le salers et le cantal qu'on peut aussi associer à un gigondas ou à un côtes-du-rhône-villages. Le gruyère penchera également pour un rouge souple et velouté, un chinon ou un de ses cousins du Val de Loire, un bourgogne de la Côte chalonnaise, mercurey, rully, givry, à moins qu'on ne leur préfère un médoc. Le camembert et les fromages à pâte molle et croûte fleurie en général (les différents bries notamment), apprécient également les vins souples et délicatement fruités comme le beaujolais, brouilly, et anjou-gamay.

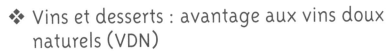

❖ Vins et desserts : avantage aux vins doux naturels (VDN)

Entre vins moelleux et vins doux naturels, le cœur balance. Une salade de fruits exotiques appellera un muscat de Beaumes-de-Venise, du Cap Corse, de Lunel ou de Rivesaltes, très à l'aise également sur une tarte tatin, une tarte aux pommes ou aux mirabelles, aux quetsches, etc.

À moins qu'un gewurztraminer ou un riesling vendanges tardives n'ait la préférence. Les moelleux, type jurançon, gaillac, pacherenc-du-vic-bilh bonnezeaux, vouvray, ne sont pas mal non plus. La Loire, l'Alsace, le Sud-Ouest, le Bordelais et le Roussillon se donnent ici rendez-vous. Les préparations à base de fruits rouges appellent des vins rouges, assez fruités, en cépage gamay et pinot noir.

On peut leur préférer des vins doux naturels rouges, maury, banyuls et rivesaltes. Ces derniers peuvent réparer tous les torts que le chocolat et dans une moindre mesure, le café, infligent aux vins, en raison de leur amertume et de leur puissance. Gâteaux au chocolat, mousse, éclairs, bûche, gâteau moka, voire tiramisu, s'accordent avec eux.

Même une crème renversée peut avoir leur faveur. Et que faire de ces délicieux desserts à base de pâte à choux, de crème aux amandes ou pâtissière, j'ai nommé saint-honoré, paris-brest, pithiviers, mille-feuille ? Les marier à des vins moelleux du Bordelais et du Sud-Ouest, sauternes, monbazillac, loupiac, côtes-de-bergerac, jurançon, vouvray, montlouis... ou bien des VDN blancs, les fameux muscats, encore et toujours.

[Les mots-clés de l'amateur de vin]

• Acescence

Cette maladie, qui transforme l'alcool en acide acétique et en acétate d'éthyle, donne au vin une odeur de vinaigre.

• Acidité volatile

On regroupe sous le nom d'acidité volatile les acides acétiques, formiques et carboniques. Générés par la fermentation alcoolique, ils sont nécessaires au développement du bouquet, à la structure et à l'évolution du vin. Leur taux dans le vin est limité et un excès d'acidité volatile constitue un défaut qui rend le vin non marchand.

• Aération

L'aération consiste, pour les vins jeunes et aux tanins durs, à transvaser le contenu d'une bouteille en carafe afin de lui apporter de l'oxygène. L'aération permet d'arrondir les tanins et de rendre le vin plus souple en bouche.

• Alcool

Les levures transforment le sucre du raisin en alcool. 17 grammes de sucre par litre de moût produisent environ 1 degré d'alcool. Composant le plus important du vin après l'eau, il lui apporte un caractère chaleureux et compense la sensation acide.

• Ampélographie

Science étudiant les cépages, leur forme, leur comportement agronomique et leur origine.

• Anthocyanes

Pigment violet foncé contenu dans la pellicule des raisins noirs, que l'on retrouve dans le moût et qui donne leur couleur aux vins rouges.

• Apogée

Un vin à son apogée a atteint le maximum de ses qualités, il va entamer le début de son déclin. L'apogée d'un vin dépend notamment de sa richesse en tanins, en acides naturels et en substances aromatiques.

• Ban des vendanges

Date d'ouverture officielle des vendanges.

• Barrique

Le bois de chêne est utilisé pour la fabrication des barriques, la contenance de celles-ci est variable en fonction des régions viticoles.

• *Botrytis cinerea*

Champignon, *Botrytis cinerea*, qui se développe sur les grappes en fin de maturité. « Pourriture noble » quand elle est recherchée comme en sauternes, « pourriture grise » subie par le vigneron, car source de dommages importants quand son développement est complet et rapide, dans les millésimes aux automnes humides et froids.

• Bouchonné

Le goût de bouchon est donné au vin par des bouchons de mauvaise qualité ou des conditions d'hygiène défectueuses lors de la mise en bouteille, et peut encore intervenir malgré les normes d'embouteillage les plus strictes.

• Bouillie bordelaise

Sulfate de cuivre destiné au traitement antiparasitaire des vignes. Donne par pulvérisation une couleur caractéristique vert-de-gris sur leur feuillage.

• Casse

Accident provoquant la perte de limpidité du vin, en raison d'une concentration élevée d'un élément. Portant le nom de l'élément qui la cause, elle illustre une dégradation de l'état colloïdal d'un vin. Exemple : casse ferrique, casse protéique.

• Chai

Local où le vin est logé et élevé pour le vieillissement, en cuve ou en barrique, isolé des autres corps de bâtiments.

• Chambrer

Chambrer un vin, c'est le laisser quelques heures dans la pièce où il sera dégusté. Il y a longtemps, ces pièces restaient fraîches toute l'année et chambrer le vin consistait à l'amener à une température de 16 à 18 8C, idéale pour la consommation. Aujourd'hui, il faut veiller à abaisser la température de service, car les logements sont chauffés en hiver et plus chauds en été.

• Chapeau

Parties solides du raisin qui forment en s'agrégeant une masse épaisse à la surface de la cuve de fermentation quand le jus reste en partie basse. En fin de fermentation, on presse le chapeau pour obtenir le vin de presse.

• Chaptalisation

Addition de sucre dans la vendange. Elle vise à obtenir un meilleur équilibre du vin par augmentation de la richesse en alcool lorsque celle-ci est trop faible. La chaptalisation est l'objet de décrets annuels, en fonction du millésime. Elle est généralement interdite dans les régions méridionales.

• Clairet

Vin rouge léger en couleur, souple et fruité, qui se boit en général dans sa première ou deuxième année.

• Clone

Ensemble des pieds de vigne rigoureusement identiques d'un point de vue génétique et issus d'un pied unique, appelé souche-mère.

• Collage

Cette opération consiste à ajouter au vin une substance protéique, pour agglomérer les matières en suspension qui altèrent la limpidité des vins et les entraîner au fond de la cuve ou de la barrique.

• Coulure

Mauvaise fécondation de la fleur de la vigne. La pluie, le froid peuvent en être la cause. La coulure affecte fortement le rendement mais aussi l'homogénéité des grains de raisin sur une même grappe.

• Cuvaison

Cette étape de la vinification consiste à faire macérer le moût en cuve d'inox, de béton ou de bois pour notamment extraire des peaux les tanins et colorants. La durée de cuvaison varie en fonction du type de vin. Les bordeaux clairets et les rosés ont une durée de cuvaison courte afin de maîtriser leur couleur.

• Cuvier

Local abritant les cuves ; lieu où se fait la vinification.

• Décantation

La décantation consiste à passer le contenu d'une bouteille en carafe. On veille à stopper l'opération dès que les dépôts de matières solides formées lors du vieillissement du vin en bouteille apparaissent dans le goulot de la bouteille. Pendant cette opération, se produit un léger apport d'oxygène, qui permettra au bouquet de se développer. Pour les vins vieux, la décantation doit être courte, afin de préserver la totalité de ce bouquet volatil et fragile.

• Déclassement

Suppression du droit à l'appellation d'origine d'un vin ; celui-ci est alors commercialisé comme vin de table. Cette procédure intervient notamment lorsque le vin présenté à l'agrément AOC ne satisfait pas aux conditions requises par le décret de l'AOC concernée.

• Décuvage

Synonyme : écoulage. Séparation du vin de goutte et du marc après fermentation.

• Dépôt

Particules solides contenues dans le vin, notamment dans les vins vieux.

• Distillation

Séparation par chauffage des constituants d'un liquide.

• Écoulage

Synonyme : décuvage. Opération qui consiste à séparer le jeune vin des parties solides qui restent en fin de fermentation (peaux, pépins). Les parties solides seront pressées séparément et donneront un vin plus tannique, qui pourra être assemblé en totalité ou en partie au vin issu de l'écoulage.

• Égrappage

Les tanins de la rafle étant particulièrement rustiques et rêches, on la sépare des grains de raisin pour éviter au vin toute saveur tannique grossière.

• Encépagement

Il représente la proportion relative des différents cépages plantés sur une propriété. L'encépagement varie en fonction du style de vin voulu.

• Éraflage

Action de séparer la rafle, les queues des grappes, des grains de raisin avant la mise en cuve de fermentation. L'éraflage permet d'éviter les goûts végétaux et les tanins rustiques et durs.

• Esters

Produits de la combinaison d'un alcool et d'un acide. Ils sont à l'origine d'arômes complexes et délicats pendant l'élevage et le vieillissement.

• Étampage

Marquage des bouchons, des barriques ou des caisses à l'aide d'un fer.

• Fermentation

Il existe deux types de fermentation pour un vin. La fermentation alcoolique, sous l'action des levures, transforme le sucre en alcool. Lors de la fermentation malolactique qui lui fait suite, les bactéries assouplissent le vin en transformant l'acide malique en acide lactique.

• Filtration

Opération mécanique qui consiste à débarrasser le vin de ses matières en suspension. La filtration est une opération délicate qui nécessite du doigté : une filtration excessive dépouille le vin.

• Foulage

Opération qui consiste à éclater les baies de raisin après l'éraflage, pour préparer la libération du jus qu'il contient. Le foulage se faisait autrefois au pied.

• Gravelle

Petit dépôt de cristaux de tartre dans le fond des bouteilles ou sur la base du bouchon, souvent pris pour des résidus de sucre. Ces cristaux blancs ne modifient en rien la dégustation ou la qualité des vins.

• Greffage

Méthode employée depuis la crise phylloxérique, consistant à fixer sur un porte-greffe résistant au phylloxéra un greffon d'origine locale. C'est le greffon qui donne au vin sa personnalité. Le porte-greffe n'est qu'un support.

• Guyot

Mode de taille des ceps qui laisse une seule branche horizontale, le courson. On conserve chaque année un long bois de six à dix yeux, qui sera palissé lors de la taille pour rester horizontal.

• I.N.A.O.

Institut National des Appellations d'Origine. Cet établissement public est chargé de déterminer et de contrôler les conditions de production des vins AOC-AOP, AO-VDQS-AOP et IGP.

• Lactique

Acide lactique. Acide obtenu par la fermentation malolactique. Cette fermentation produit des arômes secondaires de type lacté (beurre, crème fraîche, yaourt frais). L'acide lactique accroît la stabilité chimique du vin et sa souplesse.

• Levures

Les levures sont des champignons microscopiques qui assurent la fermentation alcoolique. Elles sont naturellement présentes sur la peau des baies de raisin. Dans le cas du vin blanc, elles peuvent être ajoutées au moût pour améliorer le déroulement de la fermentation.

• Lies

Dépôt constitué par la sédimentation des levures mortes après leur activité fermentaire. Certains vins sont élevés sur lies pour les enrichir en arômes. Les lies stabilisent aussi les vins.

• Macération

Le moût est laissé au contact des peaux de raisin pour en extraire les composés désirés : tanins, arômes et colorants.

• Macération carbonique

Mode de vinification utilisé pour la production de certains vins primeurs.

• Maître de chai

Nom donné à la personne chargée de diriger les travaux de vinification et de conservation des vins.

• Malique

L'acide malique est présent à l'état naturel dans de nombreux vins. Il se transforme en acide lactique durant la fermentation malolactique.

• Marc

Parties solides du raisin, pressées en fin de fermentation alcoolique. Le vin de presse est plus riche et moins harmonieux que le vin de goutte. Il est utilisé en assemblage.

• Maturation

Période végétative de la vigne durant laquelle la baie de raisin s'enrichit en sucre et autres constituants qualitatifs et perd en acidité. Elle précède la vendange.

• Maturité

Moment où l'on décide de récolter la vendange. On estime alors que la maturation est terminée.

• Merrain

Bois de chêne fendu, utilisé pour la fabrication des barriques. Les origines de merrains ont une influence sur le style des vins.

• Mildiou

Maladie provoquée par un champignon parasite qui attaque les organes verts de la vigne, notamment les feuilles.

• Moût

Jus de raisin frais avant que la fermentation ne soit achevée. On parle de moût en fermentation.

• Nouveau

Vin jeune, lorsque les fermentations sont terminées. Par extension, se dit d'un vin récemment commercialisé qui dispose des caractéristiques d'un vin jeune, notamment d'arômes primaires (fruités et floraux).

• Œnologie

Science qui étudie le vin, les processus physiques, biologiques et chimiques de son élaboration et de sa conservation, mais aussi les facteurs agronomiques qui contribuent à l'obtention de raisins de bonne qualité.

• Œnologue

Technicien du vin, titulaire du diplôme national d'œnologie. Il élabore le vin et en supervise les vinifications, conseille les producteurs et les négociants. Au cours de l'élaboration du vin, il est le seul légalement habilité à pratiquer certaines opérations (traitements, filtrations).

• Œnophile

Individu qui aime le vin et son univers, connaisseur ou non.

• Oïdium

Maladie de la vigne provoquée par un petit champignon qui se traduit par une teinte grise et un dessèchement des raisins. Elle se traite par le soufre.

• Ouillage

Opération qui consiste à faire le plein des barriques ou des cuves au cours de l'élevage des vins, afin d'éviter toute oxydation.

• Ouvert

Se dit d'un vin épanoui, comme un bouquet de fleurs à son stade culminant.

• Oxydation

Elle est le résultat de l'action de l'oxygène de l'air sur le vin. Elle peut dénaturer les composés aromatiques du raisin avant fermentation ou pire, altérer la couleur et le bouquet du vin lors de la fermentation.

• Oxygénation

Pendant l'élevage en fût, à l'abri de l'oxygène, les pores du bois en apportent une infime quantité, favorable à la stabilisation de la couleur et au développement de la richesse aromatique. On parle alors d'oxygénation ménagée.

• Passé

Qualifie un vin resté trop longtemps en cave et qui a perdu toutes ses qualités. Il est usé, en fin de vie.

• Passerillage

Dessèchement naturel du raisin à l'air. La baie se concentre alors en sucre. Le passe-rillage donne des vins moins liquoreux que par action de la pourriture noble.

• Persistance

Perception plus ou moins longue des saveurs et arômes du vin. Une persis-tance aromatique longue est un signe positif de puissance d'un vin.

• Phylloxéra

Puceron qui, entre 1860 et 1880, détruisit les vignobles européens en provoquant la mort des racines de la vigne et de ce fait ruina la viticulture du Vieux Continent. La technique du greffage a permis, dès le début du XXe siècle, de replanter la vigne, grâce à l'utilisation de porte-greffes américains, insensibles à ce puceron.

• Piqué

On dit d'un vin qu'il est piqué quand il développe des arômes de vinaigre. Ce défaut est de plus en plus rare, grâce à une bonne hygiène et à la maîtrise des populations bactériennes pendant la vinification.

• Pourriture noble

Elle est le résultat de l'action du cham-pignon *Botrytis cinerea* sur les grains de raisin. Il provoque la déshydratation des baies et leur concentration en sucre. L'intervention de la pourriture noble est nécessaire pour l'élaboration des grands liquoreux (sauternes, etc.).

• Presse

Vin issu du pressurage du marc après décuvage.

• Pressurage

Opération consistant pour les vins blancs à presser le raisin pour en extraire le jus. Dans la vinification en rouge, il est effec-tué sur les parties solides du raisin en fin de fermentation alcoolique.

• Rafle

La rafle est la partie ligneuse de la grappe. Elle produit des tanins verts très rustiques.

• Réduction

Évolution du vin en bouteille, à l'abri de l'air. Elle favorise la formation de composés aromatiques recherchés et subtils, comme celui de la truffe, dans les grands vins.

• Remontage

Le remontage a pour but d'apporter l'oxygène nécessaire à la bonne multi-plication des levures. Il a lieu en début de fermentation. Le moût est pompé hors

de la cuve par le bas et, après aération, est réincorporé par le haut.

• Renfermé

Lors de l'ouverture d'une bouteille long-temps fermée, se dégagent des arômes rappelant l'odeur du renfermé que l'on évacue par une courte décantation.

• Rognage

Action de couper le bout des rameaux de vigne en été, pour en limiter la crois-sance végétative au profit d'une bonne accumulation de sucres, tanins et acides dans la baie. Le raisin gagne en qualité.

• Saignée

Opération qui consiste à extraire une partie du jus de la cuve au début de la fermentation pour produire des vins rosés ou des clairets.

• Salmanazar

Bouteille d'une contenance de neuf litres, soit l'équivalent de douze bouteilles de 75 cl.

• Sarment

Rameaux de vigne produits dans l'année et ramassés après la taille.

• Sec

Qualifie un vin comprenant moins de 4 grammes de sucre résiduel (non fermenté par les levures) par litre.

• Souple

Vin coulant dans lequel le moelleux l'emporte sur l'astringence. Il est obtenu par des cuvaisons courtes. Sa texture est fluide et légère. Il se boit généralement jeune.

• Soutirage

Action de transférer le vin d'une barrique vers une autre barrique pour le séparer des lies et favoriser sa clarification par sédimentation. Lors du soutirage, on surveille et on corrige la teneur en soufre pour éviter tout risque de contamination bactérienne. Les soutirages apportent une oxygénation ménagée, favorable à l'obtention de vins plus riches en arômes.

• Stabilisation

Ensemble des traitements destinés à la bonne conservation des vins.

• Structure

Elle désigne à la fois la charpente et la constitution d'ensemble d'un vin.

• Sulfitage

Introduction dans le moût ou dans le vin d'une quantité raisonnée de gaz sulfureux (anhydride sulfureux ou SO_2) dans le but d'obtenir une vinification ou un élevage sans risque bactériologique. Ce procédé est encadré par des règles strictes.

• Taille

Coupe des sarments pour régulariser et équilibrer la croissance de la vigne. La taille permet aussi d'en contrôler la productivité, appelée charge. Elle a un impact direct sur le volume de la récolte, et par conséquent sur la qualité et la concentration des raisins.

• Tanins

Substances se trouvant dans le raisin et qui donnent au vin sa structure, sa capacité de vieillissement et ses propriétés gustatives. Ils ont la particularité de se combiner avec les colorants dans les vins rouges (anthocyanes).

• Tartre

Cristaux de sels tartriques que l'on trouve parfois en bouteille. Ils ne présentent pas d'inconvénient pour le vin. Cette précipitation, provoquée par les chocs thermiques, peut être évitée en traitant préalablement des vins par le froid.

• Thermorégulation

Cette technique, qui a révolutionné la vinification, permet de contrôler et de maîtriser la température des cuves pendant la fermentation. La température idéale pour la fermentation alcoolique est de 18 8C pour les vins blancs et de 28 à 30 8C pour les vins rouges.

• Tranquille

Un vin est dit tranquille quand il a terminé sa fermentation et qu'il ne fait plus apparaître à la surface de bulles de gaz carbonique. Plus généralement, un vin tranquille désigne un vin non effervescent.

• Vendange

Action de récolter le raisin quand celui-ci est arrivé à maturité. La date de la vendange est un moment critique. Trois éléments doivent être réunis : une concentration en sucre satisfaisante, une maturité des tanins à son optimum et une structure acide suffisante.

• Véraison

Cette phase végétative de la vigne est cruciale pour le vin. Elle est atteinte lorsque le raisin passe du vert au jaune pour les blancs et du vert au noir pour les rouges. À la véraison, le grain a atteint sa taille finale et débute sa maturation. Il s'enrichit en sucre et s'appauvrit en acides. On estime la date des vendanges à quarante-cinq jours à compter de la mi-véraison.

• Vieillissement

Conservation des vins en bouteilles. Après une durée de vieillissement variable selon le millésime et le style de vin, le vin atteint sa plénitude ou son apogée. Son potentiel de dégustation est à son maximum.

• Vin de goutte

Dans la vinification en rouge, vin obtenu simplement par gravité lors du décuvage.

• Vinification

Ensemble des opérations relatives à l'élaboration du vin, de l'entrée des raisins dans le chai jusqu'à l'élevage et la mise en bouteille.

• Vitis vinifera

Terme botanique qui désigne l'espèce dont sont issues toutes les variétés de vigne en Europe.

[Bibliographie]

Jacques-Louis Delpal, *Mets et Vins, l'encyclopédie des accords*, Éditions Artémis-Proxima, 2003.

Sylvie Girard-Lagorce, *Je ne sais pas goûter le vin. Le choisir, le servir, le déguster*, Flammarion, 2002.

Gérard Margeon, *Les 100 mots du vin*, Que sais-je, Presses universitaires de France, 2009.

Robert Parker, *Guide Parker des vins de France*, Solar, 2009.

Olivier Poussier, Les meilleurs vins de France 2010, Revue des vins de France, 2009.

Pierre Rézeau, *Dictionnaire des noms de cépages de France*, CNRS Éditions, 2008.

Collectif
Guide Hachette des vins, Hachette Pratique, 2009.
Initiation à l'Orient ancien, De Sumer à la Bible, L'Histoire, Éditions du Seuil, 1992.

Le vin, Côté pratique, Éditions Atlas-Glénat, 2005.

Pour aller plus loin

Les secrets du vin

Marnie Old

Comment reconnaître les bons vins, classiques ou plus originaux ? Comment passer pour un connaisseur quand on commande un vin au restaurant ? Comment déguster un vin comme un pro ? Quels sont les mots qui permettent de décrire les arômes ? Quels vins faut-il acheter pour commencer à se constituer une cave digne de ce nom ? Comment faut-il conserver, présenter et servir un vin ? Quelles sont les meilleures alliances entre les vins et les plats ?

Autant de questions, parmi bien d'autres, auxquelles ce livre répond en petits chapitres brefs signés à chaque fois par un sommelier, un restaurateur ou un expert de l'univers du vin.

Au final, c'est un véritable guide qui permet de percer les secrets du vin et de devenir un vrai connaisseur !

Tous les secrets des professionnels : sommeliers,
vignerons et restaurateurs répondent à toutes
les questions que se pose l'amateur de vin.

ISBN : 978-2-35288-441-5

www.city-editions.com